LE PHOTOGRAPHE • TOME 1

GUIBERT · LEFÈVRE · LEMERCIER

D1293890

AIRE LIBRE
DUPUIS

Cette histoire est dédiée à l'équipe
de *Médecins Sans Frontières* qui l'a vécue :
Juliette, Robert, Régis, John, Mahmad, Sylvie, Évelyne,
Odile, Michel et Ronald, ainsi qu'à Jacques Fournot.

Les auteurs remercient Marjane Satrapi
pour ses lettres persanes.

Un livre de récits et de photos de Didier Lefèvre
récapitule les huit missions qu'il a effectuées en
Afghanistan entre 1986 et 2002.
Il s'intitule :
Didier Lefèvre, photographe
Voyages en Afghanistan
Le Pays des citrons doux et des oranges amères
aux Éditions Ouest-France, 2003.

DES MÊMES AUTEURS

GUIBERT - LEFÈVRE -
LEMERCIER

Aux Éditions Dupuis
Le photographe (tomes 1, 2 et 3)

GUIBERT - LEMERCIER

Aux Éditions Ouest-France
La campagne à la mer
Le pavé de Paris

GUIBERT

Aux Éditions Dupuis
en collaboration avec Sfar :
La fille du professeur
Les olives noires
(3 tomes parus)

en collaboration
avec David B. :
Le Capitaine Écarlate

Aux Éditions de l'Association
La guerre d'Alan
(d'après les souvenirs d'Alan
Ingram Cope, 2 tomes parus)
Va et vient

Aux Éditions Bayard
en collaboration avec Sfar :
Sardine de l'espace
(10 tomes parus)

en collaboration avec
Boutavant :
Ariol (5 tomes parus)

Aux Éditions Bréal Jeunesse
Les Poixons (roman)

Aux Éditions Casterman
Japon (collectif)

Aux Éditions Idem
L'atelier Rossignol

Didier Lefèvre, photographe :
www.imagesandco.com
Massoud Raonaq, musicien :
raonaq.massoud.free.fr/index.htm
Médecins Sans Frontières :
www.msf.fr
Le Photographe :
www.lephotographe.dupuis.com

DANS LA MÊME COLLECTION

BAILLY - LAPIÈRE
Agadamgorodok

BARU
L'enragé (tomes 1 et 2)

BAUDOIN
Le chant des baleines
Les essuie-glaces

BAUDOIN - WAGNER
Les yeux dans le mur

BERTHET
Halona

BERTHET - TOME
Sur la route de Selma

BLAIN
Le réducteur de vitesse

BLUTCH
Vitesse moderne

BOILET - PEETERS
Demi-tour

CLARKE - LAPIÈRE
Luna Almaden

CONRAD
Le piège malais (édition intégrale)

COSEY
Le voyage en Italie (édition intégrale)
Orchidea
Saigon-Hanoi
Joyeux Noël, May !
Zeke raconte des histoires
Une maison de Frank L. Wright

DAVID B.
La lecture des ruines

DE CRÉCY
Prosopopus

DETHOREY - AUTHEMAN -
BERGFELDER
Le passage de Vénus (tomes 1 et 2)

DETHOREY - LE TENDRE
L'oiseau noir

ÉTIENNE DAVODEAU
Chute de vélo

ÉRIC STALNER - AUDE ETTORI
Ange-Marie

FRANK - BONIFAY
Zoo (tomes 1 et 2)

GIBRAT
Le sursis (tomes 1 et 2)
Le vol du corbeau (tomes 1 et 2)

GILLON
La veuve blanche

GILLON - LAPIÈRE
La dernière des salles obscures
(édition intégrale)

GRIFFO - DUFAUX
Monsieur Noir (édition intégrale)

GRIFFO - VAN HAMME
S. O. S. Bonheur (édition intégrale)

GUIBERT - DAVID B.
Le Capitaine Écarlate

GUIBERT - LEFÈVRE -
LEMERCIER
Le photographe (tomes 1, 2 et 3)

HAUSMAN
Les chasseurs de l'aube

HAUSMAN - DUBOIS
Laïyna (édition intégrale)

HAUSMAN - YANN
Les trois cheveux blancs
Le prince des écureuils

HERMANN
Missié Vandisandi
Sarajevo-Tango
On a tué Wild Bill

HERMANN - VAN HAMME
Lune de guerre

HERMANN - YVES H.
Zhong Guo

JEAN-C. DENIS
Quelques mois à L'Amélie
La beauté à domicile

LAX
L'aigle sans orteils

LAX - GIROUD
Les oubliés d'Annam
(édition intégrale)
La fille aux ibis
Azrayen' (édition intégrale)

LEBEAULT - FILIPPI
Le croquemitaine (tomes 1 et 2)

LEPAGE
Muchacho (tomes 1 et 2)

LEPAGE - SIBRAN
La Terre sans Mal

MAËL - FÉJARD - RICARD
Les rêves de Milton (tomes 1 et 2)

MAKYO
Le cœur en Islande (édition intégrale)

MARDON
Corps à corps

MARVANO - HALDEMAN
La guerre éternelle (édition intégrale)

MOYNOT
Pourquoi les baleines bleues
viennent-elles s'échouer
sur nos rivages ?

PELLEJERO - LAPIÈRE
Un peu de fumée bleue...
Le tour de valse

SERVAIS
Lova (édition intégrale)
Fanchon
Déesse blanche, déesse noire
(tomes 1 et 2)
L'assassin qui parle aux oiseaux
(tomes 1 et 2)

STASSEN
Louis le Portugais
Thérèse
Déogratias
Les enfants

STASSEN - LAPIÈRE
Le bar du vieux Français
(édition intégrale)

TRONCHET
Houppeland (édition intégrale)

TRONCHET - RICHAUD
Le peuple des endormis (tomes 1 et 2)

TRONCHET - SIBRAN
Là-bas
Ma vie en l'air

WILL - DESBERG
La 27e lettre

ZARATE - SAMPAYO
Trois artistes à Paris

Conception graphique de la collection : Didier Gonord.

D.2003/0089/170 — R.1/2007.
ISBN 978-2-8001-3372-0 — ISSN 0774-5702
© Dupuis, 2003.
Tous droits réservés. Imprimé en Belgique.

www.airelibre.dupuis.com

JE DIS AU REVOIR À TOUT LE MONDE. AUX GENS DE MSF.

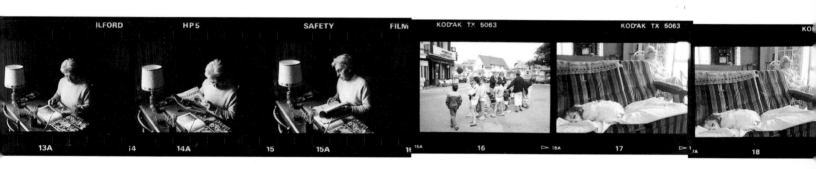

À MA MÈRE, QUI EMMÉNAGE À BLONVILLE.

À MA GRAND-MÈRE, À BIENCHEN LA CHIENNE.

DANS L'APPARTEMENT PARISIEN QUE MA MÈRE VIENT DE QUITTER, JE PHOTOGRAPHIE LA CHAÎNE STÉRÉO, TOUTE SEULE.

VOILÀ, AU REVOIR PARIS.

ON EST FIN JUILLET 1986. JE PRENDS L'AVION ET JE M'EN VAIS.

ESCALE DE NUIT À KARACHI, AU PAKISTAN. UNE DIZAINE D'HEURES.

JE VAIS DANS UN HÔTEL À CÔTÉ DE L'AÉROPORT. LE PRIX DE LA CHAMBRE EST COMPRIS DANS LE BILLET D'AVION.

MAUVAISE NUIT, COURTE. JE ME PHOTOGRAPHIE DEUX FOIS DANS LE MIROIR. CE SONT LES PREMIÈRES PHOTOS DU VOYAGE.

LE LENDEMAIN, J'ARRIVE À PESHAWAR. IL FAIT TRÈS CHAUD.

QUELQU'UN DE MSF VIENT ME CHERCHER.

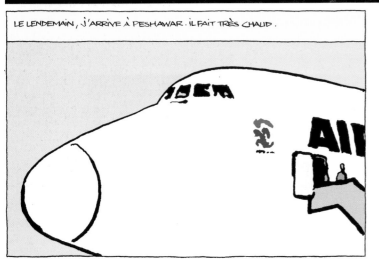

JE T'EMBRASSE PAS. C'EST INTERDIT ICI.

SYLVIE, INFIRMIÈRE. IL PARAÎT QUE LES AFGHANS L'APPELLENT "LE BATCHA", LE PETIT GARÇON.

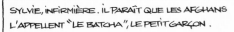

JE COLLE MES AFFAIRES DANS UN RIKSHAW. DIRECTION : UNIVERSITY TOWN.

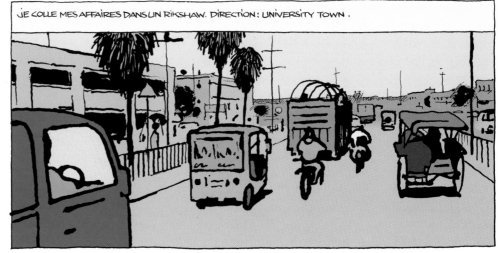

ON PREND DE GRANDES ALLÉES ENTRE DES MAISONS COLONIALES AVEC PARCS ET JARDINS. C'EST LE QUARTIER DE L'UNIVERSITÉ, UN BEAU QUARTIER RÉSIDENTIEL.

ON ARRIVE À LA MAISON DE MSF. GARDIEN ARMÉ.

J'HÉRITE D'UN MATELAS DANS UN COIN DE CHAMBRE.

C'EST LA FIN DE L'APRÈS-MIDI. TOUT LE MONDE RENTRE BOIRE UN COUP ET PRENDRE UNE DOUCHE. JE RETROUVE DES GENS QUE JE CONNAIS.

JULIETTE, NOTRE CHEF DE MISSION.

JOHN, CHIRURGIEN.

ROBERT, TOUBIB.

RÉGIS, INFIRMIER-ANESTHÉSISTE.

ON ME PRÉSENTE MAHMAD, UN AFGHAN QUI NOUS ACCOMPAGNERA COMME GUIDE ET INTERPRÈTE.

ALORS, C'EST VOUS, LE PHOTOGRAPHE ?

TOUS LES TYPES ONT DES BARBES. J'AI COMMENCÉ À LAISSER POUSSER LA MIENNE EN FRANCE ET J'AI UN DÉBUT DE BARBICHE, MAIS PAS TERRIBLE.

OUI, C'EST MOI.

LE PHOTOGRAPHE

Une histoire vécue, photographiée et racontée par DIDIER LEFÈVRE

Écrite et dessinée par EMMANUEL GUIBERT

Mise en page et en couleur par FRÉDÉRIC LEMERCIER

CLIC.

C'EST BEAU, PESHAWAR. C'EST VRAIMENT LA VILLE D'ORIENT, GROUILLANTE, BRUYANTE, POLLUÉE, LE TRAFIC SANS ARRÊT : BRRRMMM BRRRMMM...

TOUT EST FORT, LES ODEURS SONT FORTES, LES BRUITS SONT FORTS. DÈS QU'IL Y A UNE FOULE, ELLE EST ÉNORME, LES HEURES DE MIDI SONT ÉCRASANTES. HABILLÉ À L'OCCIDENTALE, ON NE TIENT PAS LE COUP. TROP CHAUD.

ROBERT ET RÉGIS M'EMMÈNENT ILLICO CHEZ LE TAILLEUR.

IL PREND MES MESURES. POUR DEMAIN, IL VA ME FABRIQUER UN TROUSSEAU COMPRENANT : UN PANTALON, UNE CHEMISE TRÈS LONGUE, UN GILET, UN BONNET, UN FOULARD, DES CHAUSSURES. ET LA FAMEUSE COUVERTURE AFGHANE, LE PATOU. ICI, ON NE PORTE PAS DE SLIP.

POUR QUE J'AIE DE LA RECHANGE, IL FERA LE TOUT EN TROIS EXEMPLAIRES. ÇA COÛTE TROIS FOIS RIEN ET PRÉSENTE TROIS AVANTAGES. PRIMO, JE SERAI À L'AISE DANS MES VÊTEMENTS FLOTTANTS.

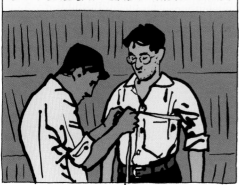

DEUZIO, JE SERAI CONFORME À LA DÉCENCE ISLAMIQUE PUISQU'ILS SONT LONGS ET DISSIMULENT BIEN LE CORPS.

TERTIO, JE ME FONDRAI DANS LA FOULE.

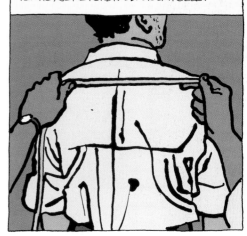

7

CHEZ MSF, L'ESSENTIEL DU TEMPS EST OCCUPÉ À REMPLIR ET SCELLER DES CARTONS.

MA MÈRE A DÉMÉNAGÉ LA SEMAINE DERNIÈRE.

ELLE S'INSTALLE OÙ ?

EN NORMANDIE, À BLONVILLE.

C'EST BIEN. FAIT FRAIS, LÀ-BAS.

UN CARTON DOIT ÊTRE PARFAITEMENT REMPLI. RIEN NE DOIT JOUER À L'INTÉRIEUR. ILS VONT ÊTRE TELLEMENT MALMENÉS PENDANT L'EXPÉDITION QUE LE CONTENU D'UNE BOÎTE DE COMPRIMÉS, SI ELLE BOUGEAIT UN TANT SOIT PEU, SERAIT RÉDUIT EN POUDRE.

EN CAS DE CHUTE DANS UNE RIVIÈRE (ET ÇA ARRIVE), TOUT DOIT ÊTRE SOIGNEUSEMENT ENVELOPPÉ DANS DU PLASTIQUE IMPERMÉABLE.

ET PUIS ENCORE ENTOILÉ, COUSU, FICELÉ...

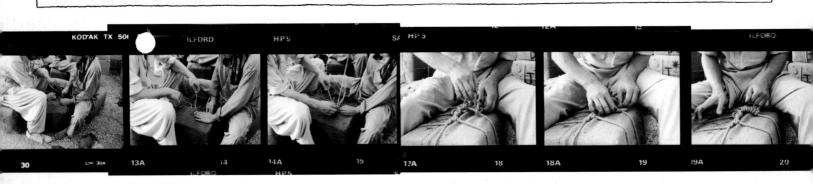

ENFIN, CHAQUE CARTON EST IMMATRICULÉ ET STOCKÉ.

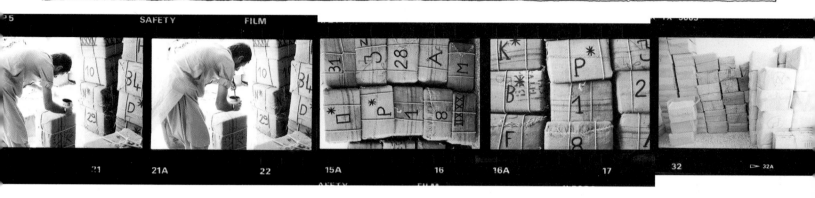

ÇA PREND DES JOURS. DES AFGHANS NOUS AIDENT. PARFOIS, C'EST LA RÉCRÉ.

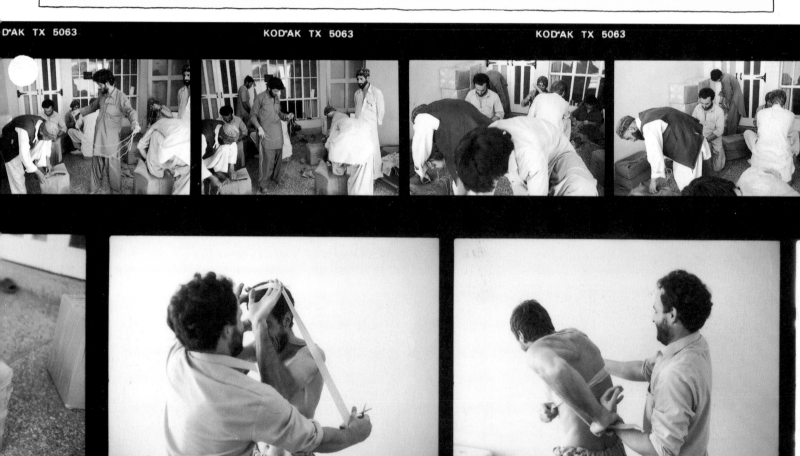

JE SUIS BIZUTÉ. ON ME SCOTCHE DE LA TÊTE AUX PIEDS ET ON ME FUSILLE AVEC MON PROPRE APPAREIL PHOTO.

CE SOIR, DANS UNIVERSITY TOWN, IL Y A UNE PANNE DE COURANT.

LA CLIMATISATION S'ARRÊTE.
EN QUELQUES MINUTES, LA TEMPÉRATURE MONTE À 50°.

LE QUART D'HEURE PAKISTANAIS.

LE MOIS PROCHAIN, ON SERA EN AFGHANISTAN. DEPUIS DES SEMAINES, ON ME PRÉVIENT QUE CE SERA DUR. J'AI 29 ANS, JE SUIS EN BONNE FORME, J'AI DÉJÀ FAIT PAS MAL DE RANDONNÉES DANS MA VIE, JE NE SUIS PAS DOUILLET, JE SUPPORTE PLEIN DE CHOSES...

MAIS IL VA FALLOIR QUAND MÊME PASSER À PIED QUINZE COLS DE PLUS DE CINQ MILLE MÈTRES.

ENVOIE LA BOUTEILLE, S'IL TE PLAÎT.

EN AFGHANISTAN, IL Y A LA GUERRE. D'UN CÔTÉ, L'ARMÉE D'INVASION SOVIÉTIQUE ET L'ARMÉE DU GOUVERNEMENT COMMUNISTE EN POSTE À KABOUL, DE L'AUTRE LES MOUDJAHIDIN, LES RÉSISTANTS.

AU MILIEU, LES ORGANISATIONS HUMANITAIRES.

TOUT CE QUE JE BOIS, À LA SECONDE, JE LE SUE.

BOUCHE-TOI LES PORES.

MSF M'A COMMANDÉ UN REPORTAGE SUR UNE CARAVANE QUI VA RALLIER LE BADAKHSHAN, RÉGION DU NORD DE L'AFGHANISTAN, VERS FEYZABAD.

JULIETTE, JOHN, ROBERT, RÉGIS, MAHMAD ET D'AUTRES PRÉPARENT L'EXPÉDITION DEPUIS DES MOIS. IL S'AGIT DE REJOINDRE UN PETIT HÔPITAL DE GUERRE DANS UNE VALLÉE ET D'ALLER EN CRÉER UN AUTRE, PLUS LOIN.

IL VA FALLOIR CONSTITUER LA CARAVANE, ACHETER LES ÂNES, LES CHEVAUX, ENGAGER L'ESCORTE. C'EST LE BOULOT DU MOIS QUI VIENT. APRÈS, ON PARTIRA.

SI ON POUVAIT PRENDRE DES VÉHICULES ET EMPRUNTER LES ROUTES, CE VOYAGE SERAIT L'AFFAIRE D'UNE JOURNÉE. MAIS LES ROUTES SONT TENUES PAR L'ARMÉE GOUVERNEMENTALE ET PAR LES RUSSES.

EN COUPANT À TRAVERS LES MONTAGNES ET EN CONTOURNANT TOUS LES POSTES, ON METTRA TROIS SEMAINES, SI TOUT VA BIEN.

EST-CE QUE JE VAIS TENIR LE COUP ?

DANS UNE MISSION HUMANITAIRE, ON SACRIFIE D'ABORD LE PHOTOGRAPHE.

ALLAH BÉNISSE LES GROUPES ÉLECTROGÈNES.

À PARCOURIR PESHAWAR, JE COMPRENDS QUE LA GUERRE EN AFGHANISTAN EST MONDIALE, PARCE QUE LE MONDE ENTIER EST ICI.

D'ABORD, C'EST PLEIN D'AFGHANS. UN RIKSHAW CONDUIT PAR UN AFGHAN ET CHARGÉ DE CINQ AUTRES AFGHANS DONNE UNE IMAGE DE LA SITUATION : PESHAWAR DÉBORDE D'AFGHANS.

IL Y A DES RÉFUGIÉS DANS TOUS LES COINS. ILS VIVENT DANS D'IMMENSES CAMPS AUTOUR DE LA VILLE. ILS FONT TOUS LES MÉTIERS.

C'EST LUI QUI L'A PEINT, SON RIKSHAW ?

JE VAIS LUI DEMANDER.

NON, IL DIT QUE C'EST UN COPAIN À LUI. COMME IL EST TADJIK, IL A FAIT FAIRE UN PORTRAIT DE MASSOUD AVEC MARQUÉ : "LE LION DU PANSHIR".

SUPERBE.

LA TÊTE DE MASSOUD EST COLLÉE SUR LE CORPS DE RAMBO, AVEC UNE ÉNORME MITRAILLEUSE ET DU SANG PARTOUT.

VÉRONIQUE, DE L'AGENCE REUTERS.

AU DÉBUT, TU LEUR DONNES TOUJOURS TROP.

UN BON TRAJET, TU SORS CINQ BILLETS, LE MEC EST CONTENT, TE FAIT UN GRAND SOURIRE, PREND L'ARGENT ET SE CASSE. TU AS DONNÉ TROP.

LA FOIS SUIVANTE, TU ÉVALUES MIEUX : UN BILLET. LE MEC, TOUJOURS CONTENT, NE MARCHANDE PAS. SI ÇA SE TROUVE, TU AS ENCORE DONNÉ BEAUCOUP TROP.

AU BOUT DE QUELQUES JOURS, TU DONNES LE JUSTE PRIX. C'EST UN COUP À RATTRAPER. PARCE QUE PARTOUT, DÈS QU'ILS PEUVENT TE BAISER, ILS LE FONT.

LES MARCHÉS AUX CHEVAUX ET AUX ÂNES SONT DANS LES CAMPS DE RÉFUGIÉS.

ON CHOISIT LES BÊTES QUI NOUS ACCOMPAGNERONT. UNE CENTAINE D'ÂNES, UNE VINGTAINE DE CHEVAUX.

MSF A DES INTENDANTS AFGHANS DE CONFIANCE.

LUI, PAR EXEMPLE, C'EN EST UN. UN COSTAUD, UN PALAWAN. LA FORCE DE CES TYPES EST COLOSSALE. EN AFGHANISTAN, ILS SONT RESPECTÉS AU-DELÀ DE TOUT.

SOUVENT, C'EST DES JOUEURS DE BOZKASHI, LE SPORT NATIONAL. ÇA SE JOUE À CHEVAL. ILS SE DISPUTENT UN VEAU DÉCAPITÉ DE QUARANTE OU CINQUANTE KILOS, TENU À BOUT DE BRAS.

D'AILLEURS, LEURS BRAS, TU NE VOIS PAS DE RÉTRÉCISSEMENT AU NIVEAU DES POIGNETS, C'EST DES TRONCS D'ARBRES.

J'ASSISTE À DES NÉGOCIATIONS. LE VENDEUR ET L'ACHETEUR SE SAISISSENT LES MAINS. TOUT LE MONDE S'ATTROUPE AUTOUR. UNE SORTE D'ARBITRE SURVEILLE LES DÉBATS. POUR QUE LA NÉGOCIATION RESTE SECRÈTE, ILS SE COUVRENT PARFOIS LES MAINS D'UN TISSU. ET PUIS, ILS SE PARLENT PAR MOUVEMENT ET PRESSION DES DOIGTS. LES DOIGTS DE L'UN PROPOSENT DES SOMMES, LES DOIGTS DE L'AUTRE LES ACCEPTENT OU LES REFUSENT. C'EST UN CODE ENTRE EUX, UN LANGAGE. AVEC, EN PLUS, LES MIMIQUES ET LES REGARDS. PAR MOMENTS, TU EN VOIS UN QUI ARRACHE SA MAIN PARCE QUE LA PROPOSITION QUI LUI A ÉTÉ FAITE EST INTOLÉRABLE. À PHOTOGRAPHIER, C'EST DU GÂTEAU.

JULIETTE ME PRÉSENTE À CE GARÇON.
C'EST LE FILS DU WAKIL, UNE SORTE DE DÉPUTÉ DU BADAKHSHAN, LA RÉGION OÙ ON VA.

IL EST TOUT JEUNE, MAIS COMME SON PÈRE EST UNE HUILE, IL A DÉJÀ LE STATUT DE COMMANDANT.

ESSALAAM.

SALAMALÉCOUM.

NOTRE CARAVANE SERA DIPLOMATIQUEMENT CONSTITUÉE DE GENS DES DEUX VALLÉES OÙ ON SE REND : YAFTAL ET TESHKAN. VOICI ABDUL-JABÂR, DE TESHKAN.

ESSALAAM.

SALAMALÉCOUM.

ET NAJMUDIN, DE YAFTAL. CE SONT LES DEUX CHEFS DE GROUPE. JE M'ATTENDS À CE QU'ILS ME BROIENT LA MAIN, MAIS NON, ILS NE FONT QUE LA TOUCHER.

ESSALAAM.

SALAMALÉCOUM.

TU ES CONTENTE DE TON MARCHÉ ?

OUI, JE PENSE QU'ON AURA DE BONNES BÊTES.

MAIS CE N'EST PAS TOUT DE LES ACHETER. IL FAUDRA S'ASSURER QUE C'EST BIEN LES ANIMAUX QU'ON A CHOISIS QUI SERONT ACHEMINÉS JUSQU'À LA FRONTIÈRE. ON AURA L'ŒIL.

ET PUIS IL FAUT S'ASSURER AUSSI QU'ON TIENT DESSUS. ALORS TU VAS ME FAIRE LE PLAISIR D'ESSAYER CELUI-LÀ.

MAINTENANT ?

MAINTENANT.

C'EST UN GENTIL PETIT CHEVAL, MAIS NERVEUX. IL N'OBÉIT PAS DU TOUT.

IL NE VEUT PAS ALLER LÀ OÙ JE VEUX QU'IL AILLE...

ET QUAND IL VA QUELQUE PART, IL Y VA TRÈS VITE.

DOMMAGE QUE TU AIES LES MAINS PRISES, PARCE QU'IL Y A DES PHOTOS QUI SE PERDENT.

AH L'ENFOIRÉ DIS DONC !

JULIETTE EST À LA MESURE DE SON RÔLE, QUI N'EST PAS SIMPLE. ON PARLE BEAUCOUP ET ELLE TÂCHE DE ME RENCARDER SUR CE QUI M'ATTEND.

MAHMAD AUSSI. TYPE ADORABLE, TRÈS DOUX. IL ME FAIT DE L'ASSIMIL ACCÉLÉRÉ SUR SON PAYS.

JOHN, ROBERT, RÉGIS M'EN IMPOSENT PAR LEUR AISANCE AU MILIEU DES AFGHANS (ENFIN JOHN, PAS TELLEMENT. IL PARLE BIEN LE PERSAN, MAIS AVEC UN ACCENT AMÉRICAIN À COUPER AU COUTEAU.)

ALORS QUE ROBERT, PAR EXEMPLE, IL EST PLUS VRAI QUE LES VRAIS. LOOK, ATTITUDE, AISANCE DANS LA LANGUE...

ROBERT, TU PARLES COMME UN DIEU.

AH BEN, DEPUIS LE TEMPS, OUI, JE ME DÉBROUILLE. JE CONNAIS MÊME LEURS BLAGUES DE CUL.

DANS LA RUE, DANS LES BOUTIQUES, C'EST UN PLAISIR DE LES VOIR FAIRE.

TOUS LES MEMBRES DE MSF ONT REÇU, AUX MISSIONS PRÉCÉDENTES, UN PRÉNOM AFGHAN. JULIETTE, C'EST JAMILA. ROBERT, C'EST MALIK. RÉGIS, C'EST WALID. SYLVIE, C'EST LATIFA. ETC.

IL FAUT BAPTISER DIDIER.

ON N'A QU'À L'APPELER "CHAPANDOZ".

HAHA HAHAHA HAHAHA HAHA

TRADUCTION, S'IL VOUS PLAÎT ?

ÇA VEUT DIRE "LE CAVALIER".

AH OUI, TRÈS BIEN.

JULIETTE SE TOURNE VERS LE PALAWAN ET LUI DIT EN PERSAN : TROUVE UN NOM À DIDIER.

یک اسم برای دیدیه پیدا کن.

IL ME REGARDE UN MOMENT EN PLISSANT LES YEUX, COMME QUELQU'UN QUI RÉFLÉCHIT.

ET PUIS, AVEC UN SOURIRE EN COIN ET SA VOIX ÉTONNAMMENT DOUCE POUR UN TYPE DE CETTE CARRURE, IL DIT :

احمد جان

AHMADJAN, C'EST "CE CHER AHMAD". PRÉNOM ADOPTÉ.

TRÈS BIEN.

ÇA TE VA COMME UN GANT.

MÊME MIEUX QUE DIDIER.

MERCI, MERCI.

DANS LES JOURS QUI SUIVENT, LES AFGHANS COMMENCENT À ME DONNER DU "AHMADJAN". MAIS ILS LE FONT À L'AFGHANE, C'EST-À-DIRE SOUVENT EN ME HÉLANT, SUR UNE SORTE DE MÉLODIE.

WAAAHMADJAN

WOOOAAAHMADJAN

WAAAHMADJAN

MAHMAD :

TU DOIS APPRENDRE LES FORMULES DE POLITESSE, C'EST TRÈS IMPORTANT. QUAND TU CROISERAS QUELQU'UN, MÊME EN PLEINE MONTAGNE, IL TE LES DIRA ET TU LES LUI DIRAS.

D'ACCORD.

ALORS, IL Y A AS SALAAM WA ALEIKUM, QUE TU CONNAIS.

QUE LA PAIX SOIT SUR VOUS.

SALAMALÉCOUM, OUI.

ET TOI, TU RÉPONDS : WA ALEIKUM ES SALAAM.

ALÉCOUM SALAM.

C'EST COMME BONJOUR, QUOI.

TU LE DIS TOUT LE TEMPS. SI TU ENTRES DANS UNE MAISON OU DANS UNE PIÈCE, MÊME VIDE, EN PASSANT LE SEUIL, TU LE DIS : AS SALAAM WA ALEIKUM. OU POUR ALLER PLUS VITE, TU DIS JUSTE : ESSALAAM.

ET TU N'OUBLIES PAS D'ENLEVER TES CHAUSSURES.

MANDA NA BAASHI.

MANDANABOCHI.

NE SOIS PAS FATIGUÉ.

ZENDA BAASHI.

ZENDABOCHI.

RESTE EN VIE.

DJUR BAASHI.

DJOURBOCHI : TOUT EN "BOCHI".

OUI. ÇA VEUT DIRE : RESTE EN FORME.

ALORS LÀ, ÉCOUTE BIEN : TCHETÔR ASTIN ?

TCHOU QUOI ?

TCHETÔR ASTIN.

TCHOUTOUR ASTINE.

EN ROULANT LE "R". TCHETÔRRR ASTIN.

TCHOUTOURR ASTINE.

C'EST : COMMENT VAS-TU ?

TCHOUTOURR ASTINE.

C'EST ÇA.

KHUB ASTIN ?

ROUBASTINE ?

ÇA VA BIEN ?

OUI, ÇA VA BIEN, MAIS JE NE RETIENDRAI JAMAIS TOUT ÇA.

MAIS SI, TU VAS VOIR, À FORCE DE L'ENTENDRE, ÇA RENTRE.

ON CONTINUE.

ROBERT :

ALORS ? MAHMAD T'A APPRIS "SALEZ-MOI LES COUILLES" ET TOUT LE TREMBLEMENT ?

OUI.

C'EST BIEN BEAU, LES FORMULES DE POLITESSE, MAIS ON M'A RACONTÉ QUE RÉCEMMENT, AU BADAKHSHAN, UN JOURNALISTE SUISSE A CROISÉ UN GROUPE D'AFGHANS ...

ET LE JOURNALISTE, TOUT SOURIRE : "BONJOUR BONJOUR, QUE LA PAIX SOIT AVEC VOUS, ZENDABOCHI, MANDANABOCHI, MACHIN ..."

ALORS UN TYPE SORT DU GROUPE, VIENT VERS LUI ET PAF ! IL LUI COLLE SON POING SUR LA GUEULE !

C'ÉTAIT UN SOUDANAIS VENU FAIRE LA JIHAD. IL NE COMPRENAIT PAS LE DERSAN, MAIS IL SAVAIT RECONNAÎTRE UN INFIDÈLE !

AYAYAÏE !

CELA DIT, LE AS SALAAM WA ALEIKUM, J'EN AI TELLEMENT PRIS L'HABITUDE QUE JE LE DIS MÊME EN FRANCE, DANS MA BARBE, CHAQUE FOIS QUE J'ENTRE QUELQUE PART.

JULIETTE :

TU SAIS QUE LA RÈGLE, CHEZ MSF, C'EST DE SOIGNER TOUS LES BLESSÉS, SANS DISTINCTION.

ON L'A PROPOSÉ AUX RUSSES, MAIS ILS ONT DIT "NIET". DONC, ON NE SOIGNE QUE LES AFGHANS.

À PROPOS DES RUSSES, CETTE NUIT, JE ME DISAIS ...

C'EST MARRANT, LES SOVIÉTIQUES, DEPUIS QU'ON EST PETITS, C'EST LES MÉCHANTS, LES CROQUEMITAINES. L'ARMÉE ROUGE, C'EST TOUJOURS LA MENACE ...

ET LÀ, JE N'Y PENSE PAS VRAIMENT COMME À UN TRUC CONCRET. JE NE SAIS PAS COMMENT DIRE... ÇA ME PRÉOCCUPE MOINS QUE LA DIFFICULTÉ DU CHEMIN.

ÉCOUTE, LES RUSSES, ON A PRÉVU DE LES ÉVITER.

QUANT AU CHEMIN, DIS-TOI QUE TU VAS DÉCOUVRIR LE PLUS BEAU PAYS DU MONDE. ET C'EST PAS DES BLAGUES.

C'EST VRAI.

MAHMAD :

L'ENNEMI, C'EST L'HÉLICOPTÈRE.

LES AVIONS SONT REDOUTABLES MAIS ILS PASSENT ET LE TEMPS QU'ILS REVIENNENT, TU PEUX ÉVENTUELLEMENT TE CACHER.

ALORS QUE L'HÉLICOPTÈRE, IL SURVOLE, IL S'ARRÊTE, IL RESTE EN VOL STATIONNAIRE, IL TE CHERCHE, IL TE TRAQUE, C'EST HORRIBLE.

SI TU ES DANS UN ENDROIT OÙ C'EST DIFFICILE DE SE CACHER, TU TE JETTES SOUS TON PATOU. LE PATOU, C'EST LA COUVERTURE DES AFGHANS.

OUI, JE SAIS, J'EN AI UNE. MARRON.

COULEUR DE LA TERRE.

TU NE BOUGES PLUS ET SURTOUT, TU FAIS EN SORTE QUE RIEN NE DÉPASSE. TU SERRES LES POINGS AVEC LE POUCE À L'INTÉRIEUR, COMME ÇA. TU SAIS POURQUOI ?

NON.

PARCE QUE L'HÉLICOPTÈRE REPÈRE TOUT CE QUI BRILLE. MÊME UN ONGLE.

LES JOURS PASSENT. L'ÉQUIPE FAIT UN SAUT À TAL, À UNE TRENTAINE DE BORNES DE PESHAWAR.

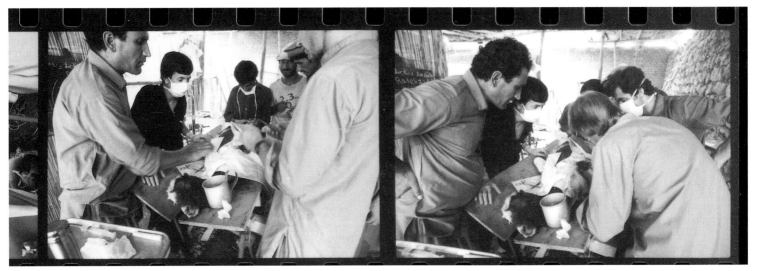

ON FORME LES ÉLÈVES
INFIRMIERS AFGHANS
À LA CHIRURGIE,
SUR DES CHÈVRES.

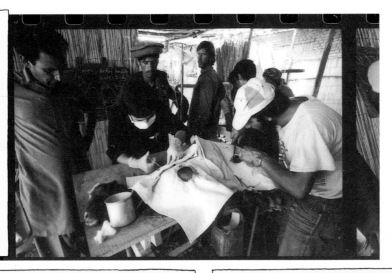

RETOUR À PESHAWAR.

J'AI DIT QUE LA VILLE GROUILLAIT D'AFGHANS. ELLE GROUILLE AUSSI D'AVENTURIERS, DE BARBOUZES, D'ALLUMÉS DU SHIT, D'INTÉGRISTES QUI VIENNENT SE FORMER À LA GUERRE SUR LE TAS.

JE CROISE BEAUCOUP DE TYPES BIZARRES QUI FONT TRAVAILLER L'IMAGINATION. UNE ESPÈCE DE MYTHOMANE, PAR EXEMPLE, VIENT DÎNER UN SOIR À LA MAISON DE MSF.

IL EST JEUNE, L'ALLURE PARA, ACCOMPAGNÉ D'UN MEC ENTIÈREMENT À SA DÉVOTION (IL PARAÎT QU'IL EN CHANGE À CHAQUE VOYAGE).

IL SE PRÉSENTE D'ABORD COMME PHOTOGRAPHE, MAIS RACONTE BIEN VITE QU'EN FAIT, CE QUI L'INTÉRESSE, C'EST DE PRENDRE UN FUSIL ET D'ALLER FAIRE LE COUP DE FEU.

LE GROS TRUC, C'EST LA HAINE DU COMMUNISME. ELLE DRAINE DES INSTRUCTEURS MILITAIRES DU MONDE ENTIER.
ILS VIENNENT FORMER LES AFGHANS ET QUICONQUE VEUT SE BATTRE CONTRE LES RUSSES, DES SAOUDIENS, DES SOUDANAIS, DES ALGÉRIENS...

RÉGIS :

IL PARAÎT MÊME QU'IL Y A UN JAPONAIS, EN CE MOMENT, QUI APPREND LES ARTS MARTIAUX AUX MOUDJ'.

DE PSEUDO-O.N.G., PAR DIZAINES, SOUS COUVERT D'ACTION HUMANITAIRE, MÈNENT DES OPÉRATIONS D'ESPIONNAGE, DE GUERRE OU DE DIPLOMATIE. CERTAINES ONT UNE VISION UN PEU SIMPLISTE : LEUR JOB CONSISTE À CHARGER DES SACS PLEINS DE BILLETS DE BANQUE SUR DES ÂNES, À PASSER EN AFGHANISTAN ET À DISTRIBUER L'ARGENT DANS LES VILLAGES. LE DEGRÉ ZÉRO DE L'ASSISTANCE.

IL FAUT DIRE QU'IL Y EN A, DU FRIC, QUI CIRCULE À PESHAWAR.

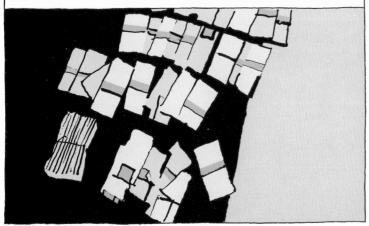

ÇA, C'EST LE NÔTRE, CELUI DE L'EXPÉDITION. DU FRIC POUR FAIRE VIVRE TOUT LE MONDE PENDANT TROIS MOIS EN AFGHANISTAN.
NOTRE PALAWAN LE RECOMPTE. ENSUITE, COMME LE RESTE, IL SERA EMBALLÉ SOUS PLASTIQUE ET, LE JOUR VENU, RÉPARTI ENTRE NOUS.

TOUT ÇA EST UN MÉLANGE DE CHOSES QUE JE VOIS, QUE J'ENTENDS, QUE JE RESSENS, QUE JE DEVINE ET QU'IL M'EST DIFFICILE D'ANALYSER. PAS ASSEZ DE RECUL NI DE CULTURE POLITIQUE. JE ME PROMÈNE, JE FAIS MES PHOTOS, J'ATTENDS QU'ON PARTE. ÇA M'INTÉRESSE D'ÊTRE, AU PROPRE COMME AU FIGURÉ, DANS CET INEXTRICABLE BAZAR.

IL Y A UN LIEU QUI RÉSUME BIEN LA SITUATION, C'EST L'AMERICAN CLUB. JOHN NOUS Y EMMÈNE CE SOIR.

C'EST UNE BELLE MAISON BIEN GARDÉE AVEC UN BEAU JARDIN DANS UN BEAU QUARTIER.

POUR Y ENTRER, IL FAUT ÊTRE AMÉRICAIN OU ACCOMPAGNÉ PAR UN AMÉRICAIN. LE RESTAURANT EST EN BAS.

QUAND ON VEUT MANGER OCCIDENTAL, ON VA À L'AMERICAN CLUB. DEPUIS MON ARRIVÉE, J'AI MANGÉ AFGHAN, PAKISTANAIS, MÊME UN PEU CHINOIS. CE SOIR, PIZZA AMÉRICAINE, STEAK FRITES, ETC. TOUT IMPORTÉ.

MAIS, ÉTANT DONNÉ QU'ON EST EN PAYS D'ISLAM, LES GENS VIENNENT SURTOUT POUR L'ALCOOL. ET L'ALCOOL, C'EST EN HAUT, AU PUB.

AU RESTAURANT, ON PEUT INVITER DES MUSULMANS. DONC, EN THÉORIE, ON NE SERT PAS D'ALCOOL.

CELA DIT, IL VAUT MIEUX POUR UN AFGHAN QU'ON NE SACHE PAS QU'IL EST INVITÉ À L'AMERICAN CLUB, PARCE QUE TRÈS VITE, LE BRUIT COURT QU'IL SE BOURRE LA GUEULE.

ON MONTE.

EN HAUT, EFFECTIVEMENT, IL Y A UN VRAI GRAND PUB PLEIN À CRAQUER. BIÈRE, WHISKY, SODA ET JEU DE FLÉCHETTES. PRIX ÉLEVÉS.

ON S'INSTALLE COMME ON PEUT. ON COMMANDE.

PERSONNE NE SE PRÉSENTE À NOUS EN DISANT : "BONSOIR, MACHIN, C.I.A.", OU "BONSOIR, MACHIN, K.G.B.", MAIS IL EST ÉVIDENT QUE L'ENDROIT EST FARCI D'ESPIONS.

DU COUP, MÊME JOHN, QUI PASSE D'UN GROUPE À L'AUTRE EN SALUANT TOUT LE MONDE, JE ME DEMANDE SI LUI AUSSI, IL NE TREMPERAIT PAS UN PEU DANS LE RENSEIGNEMENT.

ENFIN BREF, IL Y AURAIT DE QUOI ÉCRIRE DIX S.A.S.

RÉGIS :

LA MISSION QU'ON VA FAIRE, LÀ, JE L'AI DÉJÀ FAITE IL Y A DEUX ANS.

ET JE SAIS PARFAITEMENT POURQUOI J'Y RETOURNE. J'Y RETOURNE PARCE QUE JE VAIS FAIRE DE LA CHIRURGIE DE GUERRE DANS UNE SITUATION DE DÉNUEMENT SANITAIRE COMPLET. ET ÇA, ÇA ME PASSIONNE.

ÇA ME PASSIONNE À TEL POINT QUE ÇA REND IMPROBABLE LA PERSPECTIVE DE RETOURNER FAIRE DE L'ANESTHÉSIE PLAN-PLAN DANS UN C.H.U. DE BORDEAUX.

ALORS, JE NE SAIS PAS... QUAND JE RACCROCHERAI DE MSF, PEUT-ÊTRE QUE JE FERAI CARRÉMENT AUTRE CHOSE.

COMME QUOI ?

D'AUTRES ÉTUDES, POUR CHANGER DE SECTEUR. PAR EXEMPLE, J'AIMERAIS SAVOIR FAIRE DU VIN.

AH NON, JE NE CROIS PAS. PAS DU TOUT.

MAIS C'EST PLAN-PLAN, ÇA AUSSI.

LA SOIRÉE AVANCE. JE RENCONTRE UN PETIT BONHOMME SEC, LA SOIXANTAINE, LE VISAGE DUR. IL M'INTRIGUE, ON PARLE.

FORT ACCENT GERMANIQUE. SON ABORD EST GLACIAL MAIS, BIZARREMENT, LE COURANT PASSE.

DANS LE RIKSHAW DU RETOUR.

C'ÉTAIT QUI, CE PETIT TYPE À QUI TU PARLAIS ? UN ALLEMAND ?

UN ALSACIEN. JOURNALISTE. TU SAIS CE QUE C'EST QUE LES "MALGRÉ NOUS" ?

NON.

LES MALGRÉ NOUS, CE SONT CES ALSACIENS RÉQUISITIONNÉS PAR L'ARMÉE ALLEMANDE PENDANT LA GUERRE DE 40 ET QUI SE SONT RETROUVÉS SUR LE FRONT RUSSE.

C'EN ÉTAIT UN ?

OUI. ENVOYÉ SE BATTRE EN SIBÉRIE À 14 ANS. IL M'A RACONTÉ ÇA.

HÉ BÉ.

L'ALSACIEN M'A À LA BONNE. IL M'INVITE DANS SON BEL APPARTEMENT OÙ TOUT EST RANGÉ AU CARRÉ. ON PARLE LONGTEMPS.

TYPE FASCINANT. PHOTOGRAPHE. COLLECTIONNEUR DE LEICAS.

J'EN AI QUINZE.

QUINZE !

JE REVIENS DE NEW YORK ET J'AI OUBLIÉ MON TÉLÉOBJECTIF LEICA DANS UNE CHAMBRE D'HÔTEL. UN 280, VOUS CONNAISSEZ ?

NON SEULEMENT JE CONNAIS, MAIS JE PEUX VOUS DIRE QUE SI J'EN AVAIS UN ET QU'IL M'ARRIVAIT DE L'OUBLIER DANS MA CHAMBRE D'HÔTEL, JE N'AURAIS PAS VOTRE DÉTACHEMENT.

VOUS N'AVEZ PAS MON ÂGE NON PLUS.

UN 300 MILLIMÈTRES QUI OUVRE À 2.8, MONSIEUR, ÇA VAUT 7 BRIQUES.

JE SAIS BIEN. IL FAUT TOUT DE MÊME QUE JE PENSE À TÉLÉPHONER À L'HÔTEL POUR LEUR DIRE DE ME LE GARDER AU COFFRE.

IL TRAVAILLE POUR LE SPIEGEL ET STERN, AVEC D'ÉNORMES MOYENS ET DES MÉTHODES BIEN À LUI.

JE VAIS VOUS MONTRER QUELQUE CHOSE.

C'EST LE PREMIER OCCIDENTAL, PAR EXEMPLE, À ÊTRE ALLÉ CHEZ LES KHMERS ROUGES, AU CAMBODGE, POUR SE FAIRE VOLONTAIREMENT CAPTURER.

VOUS CONNAISSEZ CES PETITES CAMÉRAS VIDÉO 8 ?

OUI. C'EST BIEN ?

TRÈS PRATIQUE.

J'EN PRENDS UN BON STOCK, JE LES EMMÈNE EN AFGHANISTAN ET JE LES DISTRIBUE AUX COMMANDANTS MOUDJAHIDIN.

SIX MOIS APRÈS, JE PASSE RÉCUPÉRER LES CASSETTES. REGARDEZ.

CE SONT DES IMAGES D'EXÉCUTIONS DE PRISONNIERS RUSSES. MAL FILMÉES, MAIS SANS TABOU.

VOUS N'AVEZ JAMAIS VU ÇA, N'EST-CE PAS ?

NON.

TOUT CE QUE CELA IMPLIQUE D'ARGENT, DE LOGISTIQUE ET DE RELATIONS ME LAISSE SANS VOIX. LES IMAGES AUSSI ME LAISSENT SANS VOIX.

IL ME PARLE DE SA FEMME, AMÉRICAINE, MÉDECIN À L'UNICEF. ELLE A ÉTÉ EN POSTE À MAPUTO, AU MOZAMBIQUE. EN CE MOMENT, ELLE EST À L'INTÉRIEUR DE L'AFGHANISTAN.

IL ME MONTRE UNE PHOTO. UNE JEUNE ET BELLE FEMME. IL FAUT DIRE QUE LUI, POUR SON ÂGE, EST DANS UNE FORME PHYSIQUE INCROYABLE.

BONNE CHANCE.

MERCI MONSIEUR. AU REVOIR.

IL Y A UN ENGAGEMENT POLITIQUE DERRIÈRE CET HOMME. TOUT SON ARGENT NE VIENT PAS DU JOURNALISME, CE N'EST PAS POSSIBLE.

LES PRO-AFGHANS SONT CENSÉS ÊTRE ANTI-COMMUNISTES, MAIS PAR AILLEURS, IL DIT QU'IL EST POUR LA GUÉRILLA COMMUNISTE AUX PHILIPPINES (OÙ IL A AUSSI UNE MAISON). ALORS ?

C'EST PEUT-ÊTRE UN ESPION SOVIÉTIQUE, VA SAVOIR... JE M'EN VEUX D'ÊTRE TROP NAÏF POUR BIEN CERNER TOUT ÇA.

LE MOIS D'AOÛT TIRE À SA FIN . JE CONTINUE MES PHOTOS DE PROMENEUR, DES PHOTOS AU HASARD, UN PEU SANS QUEUE NI TÊTE. PESHAWAR AU MOIS D'AOÛT .

ET PUIS BON, C'EST LE DÉPART.

D'ABORD, LA CARAVANE, AVEC SA CENTAINE D'ÂNES, SA VINGTAINE DE CHEVAUX, SA CENTAINE D'HOMMES ARMÉS.

IL FAUT EXPLIQUER LE SYSTÈME DES CARAVANES :

ELLES LIVRENT DES ARMES EN AFGHANISTAN ET REVIENNENT À VIDE AU PAKISTAN POUR RECHERCHER DE NOUVELLES ARMES.

SANS ARRÊT, TANT QUE C'EST PRATICABLE.

NOTRE CARAVANE, QUI PART EN AOÛT ET REVIENT EN NOVEMBRE, SERA UNE DES DERNIÈRES GROSSES CARAVANES AVANT L'HIVER.

LA PLUPART PASSENT L'HIVER À PESHAWAR, OÙ IL FAIT MEILLEUR QUE DANS LES MONTAGNES.

DÈS QUE LES COLS SE LIBÈRENT, ELLES REPARTENT EN AFGHANISTAN.

COMME LES ROUTES SONT TENUES PAR LES RUSSES, ELLES PASSENT HORS ROUTE.

TOUTE CETTE ORGANISATION EST ASSURÉE PAR LA COMMUNAUTÉ AFGHANE DE PESHAWAR, SOUS L'ŒIL BIENVEILLANT DES PAKISTANAIS.

LE PAKISTAN, BASE ARRIÈRE DE LA RÉSISTANCE, FERME LES YEUX SUR LES PASSAGES INCESSANTS DE CARAVANES PAR LA FRONTIÈRE.

PAR CONTRE, LES OCCIDENTAUX, EUX, SONT CENSÉS NE PAS PASSER. MAIS LES MAILLES DU FILET SONT LARGES.

SI ON NE SE JETTE PAS DANS LES BRAS DES DOUANIERS, ON PASSE SANS TROP D'ENCOMBRE.

ÉVIDEMMENT, S'ILS VOUS CHOPENT, ILS VOUS ARRÊTENT ET VOUS METTENT EN TAULE.

C'EST ARRIVÉ À DES COPAINS. UNE SEMAINE DE TAULE.

CE N'EST PAS LA MER À BOIRE, MAIS CE N'EST PAS TRÈS AGRÉABLE ET SURTOUT, C'EST DU TEMPS ET DE L'ARGENT PERDU.

(IL FAUT GRAISSER LA PATTE POUR SORTIR.)

DANS L'IDÉAL, MSF AURAIT VOULU NE CONSTITUER QUE DES CARAVANES NON ARMÉES,

MAIS LA SEULE SOLUTION VIABLE EST DE S'AGRÉGER AUX CARAVANES D'ARMES.

ON A DONC UNE SOLIDE ESCORTE.

BREF, ON VA PASSER SÉPARÉMENT LA FRONTIÈRE.

LES AFGHANS, OFFICIEUSEMENT ET NOUS, LES MSF, CLANDESTINEMENT.

ON SE RETROUVERA DE L'AUTRE CÔTÉ, EN AFGHANISTAN, À UN ENDROIT CONVENU.

J'ASSISTE AU CHARGEMENT
DES CAMIONS.
DESTINATION CHITRAL, AU NORD.
ON PRONONCE "TCHATROL".
D'ABORD, LE MATÉRIEL ET
LES VIVRES.
ON A FAIT UNE ÉNORME
PROVISION DE FRUITS SECS,
CES JOURS DERNIERS.

ENSUITE, LES ÂNES, QU'ON
ENFOURNE BRUTALEMENT,
EN LES POUSSANT AU CUL ET
LES TIRANT PAR LES OREILLES.

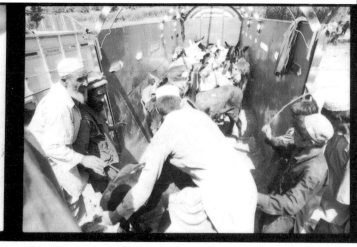

ENFIN, LES CHEVAUX, PLACÉS EN QUINCONCE. C'EST DES CHEVAUX
ENTIERS, NON CASTRÉS, QUI EXPRIMENT VIOLEMMENT LEUR
DÉSAPPROBATION.

IL FAUT COMPTER QU'ON
EN AURA UN OU DEUX
MORTS À L'ARRIVÉE À
CHITRAL, ET LES AUTRES
SERONT MORDUS OU
AMOCHÉS À COUPS DE
SABOTS.

ET LA CARAVANE S'EN VA.

UNE BONNE SEMAINE APRÈS, À NOTRE TOUR, ON QUITTE PESHAWAR POUR CHITRAL. AVANT DE PARTIR, J'AI PIQUÉ À LA MAISON DE MSF UN BOUQUIN DE STEVENSON : "VOYAGE AVEC UN ÂNE DANS LES CÉVENNES", EN 10/18. IL EST DANS MON SAC.

TU VAS VOIR, CHITRAL, C'EST UNE MERVEILLE. C'EST VRAIMENT AU PIED DES MONTAGNES.

ON Y COUCHE, CE SOIR ?

PAS À CHITRAL MÊME. À CÔTÉ, DANS UN VILLAGE QUI S'APPELLE "GERMSHESHMA", SOURCE D'EAU CHAUDE.

PARCE QU'EN FAIT, ON NE TE L'A PAS DIT, MAIS ON LAISSE TOMBER LA MISSION ET MSF NOUS PAIE 3 MOIS DE THALASSO.

À GERMSHESHMA, ON LOGE DANS UNE TRÈS BELLE MAISON ABANDONNÉE, AVEC, À L'INTÉRIEUR, UN BASSIN D'EAU CHAUDE NATURELLE. C'EST ICI QU'ON ATTENDRA QUE NOTRE PASSEUR NOUS FASSE SIGNE DE TRAVERSER LA FRONTIÈRE.

LE LIEU EST ENVOÛTANT. ÉVIDEMMENT, ON SE TREMPE TOUS DANS LE BASSIN. (JE VEUX DIRE : TOUS LES EUROPÉENS. IL N'EST PAS QUESTION POUR MAHMAD ET LES QUELQUES AFGHANS QUI NOUS ACCOMPAGNENT DE PARTAGER UN BAIN AVEC NOUS, MÊME EN SÉPARANT SCRUPULEUSEMENT HOMMES ET FEMMES.)

L'EAU EST VRAIMENT TRÈS CHAUDE. COMME IL FAIT PLUS FRAIS À GERMSHESHMA QU'À PESHAWAR, C'EST AGRÉABLE.

ON S'EST TOUS ACHETÉ DES CHADRI, CES LONGUES ROBES DES FEMMES AFGHANES QUI DISSIMULENT ENTIÈREMENT LE VISAGE ET LE CORPS. ILS NOUS SERVIRONT À GAGNER LA FRONTIÈRE SANS ATTIRER L'ATTENTION.

JULIETTE ET LES INFIRMIÈRES POSENT POUR MOI EN CHADRI.

JE COMMENCE À BOUQUINER STEVENSON. LUI AUSSI EST DANS LES PRÉPARATIFS.

UNE NUIT PASSE.
PUIS UNE JOURNÉE.
JULIETTE BROSSE SES CHEVEUX.
JOHN PREND DES NOTES.
ON DISCUTE, ON DORT DANS LA MAISON AUX MURS CONSTELLÉS DE GRAFFITIS.

UNE DEUXIÈME NUIT TOMBE.
C'EST ÇA, UN REPORTAGE, BEAUCOUP D'ATTENTE.

TOUT À COUP, LE PASSEUR EST LÀ.

C'EST MAINTENANT.

JE FOURRE MES APPAREILS DANS UNE BESACE, ENFILE LA BESACE EN BANDOULIÈRE ET LE CHADRI PAR-DESSUS.

ON S'ENGOUFFRE DANS UN VIEUX PICK-UP BÂCHÉ.

JE REGARDE LES AUTRES, À TRAVERS LE GRILLAGE DU CHADRI. ON DIRAIT DES FANTÔMES QUI PARTENT EN CLASSE DE NEIGE.

LE PICK-UP ROULE DANS LA NUIT. J'AI DIT QU'UN REPORTAGE, C'EST BEAUCOUP D'ATTENTE, MAIS QUAND LES CHOSES ARRIVENT, ELLES ARRIVENT TRÈS VITE ET UNE SEULE FOIS. FAUT PAS RATER LE COCHE.

J'ESSAIE DE PENSER À STEVENSON. J'OUBLIE SI J'AI EU LE RÉFLEXE DE MARQUER LA PAGE AVANT DE LE JETER DANS LE SAC.

SOUDAIN, ARRÊT, PORTS DE VOIX.

LE CHAUFFEUR PARLE, PARLEMENTE. LA BÂCHE EST SOULEVÉE.

ELLE RETOMBE. ON REPART.

ON APPROCHE DE L'ENDROIT. ON ENLÈVE NOS CHADRI.

ÇA Y EST, IL NOUS DROPE À L'ORÉE D'UN CHAMP. MAINTENANT, IL FAUT COURIR DANS LE NOIR.

PAS FACILE. J'ENTENDS QU'ON SE VIANDE. JE ME VIANDE À MOITIÉ.

RIEN NE SIGNALE DANS CETTE PIERRAILLE QU'ON EST EN TRAIN DE CHANGER DE PAYS. POURTANT, CETTE OBSCURITÉ-LÀ, CE N'EST PLUS LE PAKISTAN.

C'EST L'AFGHANISTAN.

D'UN MÊME ÉLAN, D'UNE MÊME FOULÉE, ON ATTAQUE NOTRE PREMIER COL.

C'EST LA MONTAGNE FRONTIÈRE, LE DEWANA BABA, LE COL DU VIEUX FOU. 5000 MÈTRES.

ON M'A PRÉVENU QUE CE NE SERAIT PAS UNE PARTIE DE PLAISIR. EFFECTIVEMENT, C'EST TRÈS PÉNIBLE.

TOUTE LA NUIT, ON GRIMPE AU PAS DE CHARGE UN TAS DE CAILLOUX SANS FIN QU'ON NE VOIT PAS.

COMME C'EST LA PISTE DES CARAVANES, ON ENTEND QU'ON CROISE DES GENS, DES CHEVAUX, QU'ON EST REJOINT, ACCOMPAGNÉ UN MOMENT, DISTANCÉ. IL Y A TOUT UN TRAFIC, MAIS INDISCERNABLE.

TANDIS QUE MA RAISON ME RÉPÈTE EN BOUCLE QUE JE NE VAIS PAS Y ARRIVER, MES PIEDS CONTINUENT D'AVANCER. IL FAIT DE PLUS EN PLUS FROID. VERS CINQ HEURES, L'AUBE POINT.

JE CONSTATE AVEC UNE SURPRISE HÉBÉTÉE QUE NOUS SOMMES AU MILIEU DE NOTRE CARAVANE.
JE RECONNAIS NAJMUDIN, LE CHEF DU GROUPE DE YAFTAL.

POUR UNE DES INFIRMIÈRES DE L'ÉQUIPE, QUI N'A PAS VRAIMENT DE CONDITION PHYSIQUE, C'EST ENCORE PLUS DUR. MAIS TOUS ONT CET AVANTAGE SUR MOI QUE CE CHEMIN, ILS L'ONT DÉJÀ FAIT.

SAOUL DE FATIGUE, AU PASSAGE DU COL, JE DOIS AVOUER QUE JE ME DEMANDE CE QUE JE FOUS LÀ. ET COMME D'HABITUDE, JE ME RÉPONDS EN PRENANT DES PHOTOS.

ENFIN, ÇA REDESCEND.

QU'EST-CE QU'ON CAVALE !

C'EST PARCE QU'ON SUIT DES AFGHANS.

UN AFGHAN

IL A UN MOTEUR LÀ.

VA TOUT DROIT.

S'ARRÊTE JAMAIS.

LE DEWANA BABA N'EST PAS BOMBARDÉ PAR LES RUSSES. LA GUERRE EST PLUS LOIN. ON L'A PASSÉ DE NUIT À CAUSE DU FRANCHISSEMENT DE LA FRONTIÈRE. QUAND ON SERA AU BADAKHSHAN, ON EMPRUNTERA DES COLS BOMBARDÉS ET ON LOUVOIERA ENTRE LES POSTES "ENNEMIS". LÀ, ON SE DÉPLACERA DE NUIT POUR DES RAISONS ÉVIDENTES DE DISCRÉTION.

PREMIÈRE PAUSE.
ON S'APLATIT.
JE PHOTOGRAPHIE NOS PAUVRES PANARDS.

ON T'AVAIT PRÉVENU, HEIN ?

OUI, MAIS IL FAUT LE FAIRE POUR LE CROIRE.

TU AS DÉJÀ PERDU DU POIDS, CETTE NUIT, ET TU VAS CONTINUER. TOUTE TA GRAISSE SUPERFICIELLE VA FONDRE. DANS HUIT JOURS, TU SERAS SEC COMME UN FAGOT.

JE SERAI MORT, ALORS ?

NON, PARCE QU'IL SE PASSE DES PHÉNOMÈNES INTÉRESSANTS. TON CORPS RÉAGIT POUR TE CONSERVER. IL LÂCHE DU LEST, MAIS PAR AILLEURS, IL TE SOUTIENT.

PAR EXEMPLE, COMME ON EST CONSTAMMENT EN ALTITUDE, IL VA FABRIQUER DAVANTAGE DE GLOBULES ROUGES, C'EST-À-DIRE DAVANTAGE D'OXYGÈNE.

DU COUP, PARADOXALEMENT, PLUS LE TEMPS PASSERA, PLUS TU MARCHERAS ET MOINS TU SERAS CREVÉ.

AH BON ?

CE QU'IL NE TE DIT PAS, C'EST QU'EN MOYENNE, LES GLOBULES ROUGES METTENT 120 JOURS À SE FABRIQUER. DONC, PENDANT TES 3 MOIS D'AFGHANISTAN, TU VAS EN CHIER.

D'ACCORD, MAIS DE RETOUR À PARIS, IL GRIMPERA À MONTMARTRE SANS FUNICULAIRE.

AH, C'EST MALIN !

NON, MAIS TU VAS VOIR, MÊME SANS ATTENDRE 120 JOURS, ON PREND LE RYTHME.

ET ON NE PEUT PAS SE DOPER UN PEU, COMME LES NAGEUSES EST-ALLEMANDES ?

SI, J'AI DES FRUITS SECS, SI TU VEUX.

ET MOI, JE DOIS AVOIR UN BOUT DE FROMAGE AFGHAN.

LA RÉGION DANS LAQUELLE ON ENTRE S'APPELLE LE NURISTAN. RÉGION SPÉCIALE, QUI N'A JAMAIS PRIS PART À LA GUERRE. LES AFGHANS DES AUTRES PROVINCES NE RAFFOLENT PAS DES NURISTANI, QUI NE SONT MUSULMANS QUE DEPUIS UN SIÈCLE. CEUX DE LA CARAVANE EN DISENT PIS QUE PENDRE.

ILS ONT LA RÉPUTATION D'ÊTRE DES BRIGANDS, D'ATTAQUER ET DE RANÇONNER LES CARAVANES.

EST-CE QUE C'EST PARCE QU'ON LE SAIT OU PARCE QUE C'EST VRAI, QUAND ON EN CROISE, ON LEUR TROUVE UNE SALE TRONCHE.

DANS UNE CARAVANE ARMÉE COMME LA NÔTRE, ÇA VA, MAIS SI ON ÉTAIT TOUT SEUL, LE NEZ AU VENT, ON N'EN MÈNERAIT PAS LARGE.

NOTRE PREMIÈRE VRAIE ÉTAPE, EN FIN D'APRÈS-MIDI, EST UN PATELIN AU NOM FAMILIER : PESHAWARAK. ON Y RETROUVE LES ÂNIERS ET LES ÂNES.

JE CONSTATE AVEC DÉPLAISIR QUE MES BONNES CHAUSSURES, BIEN IMPERMÉABLES, À FORCE DE SE FROTTER AUX CAILLOUX, SE DÉCOUSENT.

JOHN :

ATTENDS, J'AI UN TRUC POUR RECOUDRE LES GROSSES ÉPAISSEURS DE CUIR.

JOHN M'APPREND LE MANIEMENT DE CET APPAREIL À MANCHE, OÙ LE FIL EST INSÉRÉ À L'INTÉRIEUR DE L'AIGUILLE. JE RECOUDS MES CHAUSSURES.

ON PREND LE RYTHME AFGHAN : AU DODO À SEPT HEURES. JE DORS DEHORS, SUR UN TOIT, PELOTONNÉ DANS MON SAC DE COUCHAGE.

AU TOUT PETIT MATIN, VERS QUATRE HEURES ET DEMIE, LE BOUCAN DES PRIÈRES, DES ANIMAUX, DES ABLUTIONS À LA RIVIÈRE ME RÉVEILLE.

JULIETTE PEIGNE IMPERTURBABLE-MENT SES LONGS CHEVEUX, QU'ELLE ATTACHERA ET PLANQUERA SOUS SON BONNET. UN PALEFRENIER DE L'ESCORTE, QUI N'A JAMAIS VU UNE FEMME SE COIFFER, LA REGARDE UN PEU EN COIN. C'EST UN GARS DE LA CAMPAGNE.
DANS L'AFGHANISTAN RURAL, UN HOMME QUI N'A PAS LES MOYENS N'A PAS DE FEMME.

IL Y A UNE CHAÏRANA DANS LE VILLAGE, UNE MAISON DE THÉ, OÙ ON PREND UN PETIT DÉJEUNER CONFORME À LA RÉPUTATION DU NURISTAN : PAS BON.

NAJMUDIN :

احمد جان ، ضراض دیر ، وقتیکه سی
بدخشان پسیئی ، در خانهٔ من
غذای جانانهای ضراض فذرد .

QU'EST-CE QU'IL DIT ?

IL DIT QUE QUAND TU SERAS CHEZ LUI, AU BADAKH-SHAN, TU VAS BIEN MANGER.

ON SE MET EN ROUTE.
BONHEUR : C'EST SUR DU PLAT.
UNE PARTIE DU TRAJET SE FAIT
À CHEVAL. JE M'EN TIRE ASSEZ
BIEN. J'ARRIVE MÊME À
PHOTOGRAPHIER ENTRE LES
OREILLES DU MIEN.

LES NURISTANI ONT UNE
CARACTÉRISTIQUE QU'ON
APERÇOIT TOUT DE SUITE :
LES FEMMES TRAVAILLENT ET LES
HOMMES NE FOUTENT RIEN.
LES FEMMES SONT DANS LES
CHAMPS AVEC DES HOTTES
ÉNORMES DE DIZAINES DE KILOS,
LES MECS SONT ASSIS AU BORD
DES CHEMINS À LES REGARDER.

SECOND VILLAGE-ÉTAPE.
JULIETTE RÉUNIT LES
PRINCIPAUX RESPONSABLES
ET FAIT LE POINT :
JUSQU'OÙ IRA-T-ON D'ICI À
LA NUIT? COMBIEN DE TEMPS
VA-T-ON MARCHER ?
QUI OUVRIRA LA MARCHE ?
QUAND ABORDERA-T-ON
LE PROCHAIN COL ?

C'EST CALÉ, CE QUE FAIT
JULIETTE, PARCE QUE CE N'EST
PAS FACILE.
POUR UN AFGHAN, UN CHEF,
C'EST QUELQU'UN DE FORT.
UNE FEMME NE PEUT PAS ÊTRE
CHEF.
POURTANT, ILS ONT TOUS
COMPRIS QUE C'EST JULIETTE
QUI COMMANDE.

41

TU SAIS, MAINTENANT, J'AI L'HABITUDE ET EUX AUSSI.

OUI, MAIS AU DÉBUT ?

AU DÉBUT, JE LES AI TOUS SURPRIS PAR MA CONNAISSANCE DE LEUR LANGUE. ET, GÉNÉRALEMENT, JE PROFITAIS DE CETTE SURPRISE POUR M'IMPOSER.

ENSUITE, JE CONNAIS LEURS TRADITIONS. TU NE ME VERRAS JAMAIS LEUR TENDRE LA MAIN, LES DÉVISAGER OU FAIRE QUOI QUE CE SOIT QUI PUISSE LES HUMILIER.

ET PUIS, J'ESSAIE DE PARLER AVEC CALME ET AUTORITÉ. IL Y A UN CERTAIN TON QUE J'EMPLOIE QUI SIGNIFIE : D'ACCORD, JE SUIS UNE FEMME, MAIS C'EST MOI LE CHEF. DANS L'ENSEMBLE, ÇA MARCHE BIEN.

CHAPEAU.

CE COIN DU NURISTAN EST MAGNIFIQUE. TRÈS ALPESTRE. IL Y A DES RIVIÈRES ET DES TORRENTS PARTOUT.

LA NUIT SUIVANTE, ON LA PASSE EN PLEINE NATURE.
QUELQUES TYPES DE L'ESCORTE ONT DES BOBOS ET VEULENT UNE CONSULTATION.
ROBERT ET RÉGIS AUSCULTENT.

DU COUP, TOUS LES AUTRES RAPPLIQUENT ET FONT LA QUEUE.
ÇA PREND UN TEMPS FOU.
ILS RÉCLAMENT DES COMPRIMÉS QU'ILS REMISENT SOIGNEUSE-MENT DANS LES PLIS DE LEUR TURBAN OU DE LEUR BONNET.
JE PHOTOGRAPHIE TOUT ÇA AU FLASH.
JE N'AIME PAS LE FLASH.

LE LENDEMAIN, ON APPROCHE DE BARG-E-MATAL DAOULAT.

TU VAS RENCONTRER AÏDER SHAH, LE CAÏD DE LA RÉGION.

C'EST UN GENTIL ?

C'EST UN TRAFIQUANT DE TOUT CE QUI SE TRAFIQUE, À COMMENCER PAR LA DROGUE, MAIS IL NOUS PROTÈGE. JULIETTE LUI ACHÈTE NOTRE SÉCURITÉ ET IL RÉPOND DE NOS TÊTES DANS LA RÉGION. ON NE PASSERAIT PAS, SINON.

À CAUSE DES BRIGANDS ?

OUI, ENFIN, C'EST COMPLIQUÉ. LE NURISTAN EST INFILTRÉ PAR DES FONDAMENTALISTES WAHABITES QUI N'AIMENT PAS QU'ON TRAÎNE PAR ICI ET QUI NOUS FERAIENT BIEN LA PEAU.

ALORS ON DONNE UN BON BAKCHICH À AÏDER SHAH, IL NOUS MET SOUS SA GRANDE BARBE ET ON PASSE.

TU VAS VOIR, IL A UNE SUPERBE BARBE.

ET QUI C'EST, LES FONDAMENTALISTES WAHABITES ?

DES PAUVRES TYPES.

AÏDER SHAH NOUS REÇOIT CHEZ LUI, AVEC DU THÉ ET DU PAIN.
IL NOUS REMET QUELQUES AUSWEIS QUI FACILITERONT NOTRE AVANCÉE AU NURISTAN.
L'ATMOSPHÈRE ENTRE AFGHANS EST CORDIALE, SANS PLUS.

NAJMUDIN EST DANS UN COIN
DE LA PIÈCE, ASSIS SUR UNE
CHAISE, À CÔTÉ D'UNE TABLE.
JE LE NOTE, CAR TABLES ET
CHAISES SONT RARES, PAR ICI.
IL SUIT LA PALABRE AVEC UN
APPARENT DÉTACHEMENT.
SUR SA TÊTE, UNE CHAPKA
PRISE AUX RUSSES.
À SES CÔTÉS, UN BOUQUET EN
PLASTIQUE CONTE FLEURETTE
À SA KALACHNIKOV.

IL EST BEAU, NAJMUDIN. PLUS
QUE BEAU, IMPRESSIONNANT.

JE SORS. DES GOSSES
JOUENT AU POIRIER.
IL N'Y A PAS LA GUERRE, ICI.

UNE PETITE PRIÈRE AVANT LE
DÉPART. J'AI DES SCRUPULES
À ME PLACER DEVANT EUX,
JE ME METS TOUJOURS UN PEU
DE BIAIS OU DERRIÈRE.
LES ENFANTS NE PRENNENT
PAS AUTANT DE GANTS.

J'AI UNE
THÉORIE.

C'EST BIEN, ÇA. LAQUELLE ?

ELLE N'EST PAS ENCORE ASSEZ NOURRIE
STATISTIQUEMENT POUR ÊTRE CENT POUR
CENT SCIENTIFIQUE, MAIS ÇA VIENT.

VAS-Y, DIS.

LA THÉORIE, C'EST QU'EN AFGHANISTAN,
LES GENTILS ONT DES TÊTES DE GENTILS
ET LES MÉCHANTS, DES TÊTES DE MÉCHANTS.

HAHA! C'EST PAS FAUX.

REGARDE NAJMUDIN : BEAU TYPE, REGARD
FRANC, VISAGE FRANC, ATTITUDE FRANCHE,
ON PEUT TOUJOURS COMPTER SUR LUI.

À L'INVERSE, REGARDE CE MOUDJ'
DE YAFTAL, LÀ, UNE VRAIE TÊTE DE
FAUX JETON.

OUI, C'EST UN CON CELUI-LÀ.
JE NE L'AIME PAS.

MAIS LES DEUX AFGHANS QUI VÉRIFIENT
LE MIEUX LA THÉORIE, C'EST QUAND MÊME
TOI ET MOI. PARCE QU'ON EST À LA FOIS
JOLIS PHYSIQUEMENT ET MORALEMENT
IMPECCABLES.

EXACT. ENFIN MOI,
EN TOUT CAS.

ON DÉPASSE UN CHEVAL MOURANT.

LES AFGHANS N'ONT DE CONSIDÉRATION QUE POUR LES CHEVAUX DE BOZKACHI.
CEUX-LÀ SONT BICHONNÉS.
LES CHEVAUX DE CARAVANE, EUX, VIVENT UN MARTYRE.

ILS SONT SURCHARGÉS, TIRÉS À HUE ET À DIA, PERCLUS DE FROID ET BLESSÉS PAR LES PIERRES.

ILS S'ÉPUISENT ET ON LES ABANDONNE AU BORD DES CHEMINS.
LES PISTES SONT JALONNÉES DE CHEVAUX ET D'ÂNES MORTS.

ET ON NE PEUT PAS L'ACHEVER, NON ?

NON. IL PARAÎT QUE C'EST POUR LEUR LAISSER UNE CHANCE DE S'EN TIRER.

MAIS IL NE VA JAMAIS S'EN TIRER, CELUI-LÀ. IL AGONISE !

JE SAIS BIEN.

ÉCOUTE, LES MOUDJ' FONT DES CONCOURS D'ADRESSE EN TIRANT SUR LES PIERRES MAIS ILS N'ACHÈVENT PAS LES CHEVAUX. C'EST COMME ÇA. TU N'Y CHANGERAS RIEN.

MOI, JE NE PEUX PAS M'ARRÊTER CHAQUE FOIS QUE J'EN CROISE UN POUR LUI FAIRE DE LA MORPHINE. ALORS SI TU VEUX, TOI, TU TE FAIS PRÊTER UNE ZIGOUILLETTE ET TU LUI COLLES UNE RAFALE.

MOI ? MAIS JE N'AI JAMAIS TIRÉ SUR PERSONNE, MOI.

JE VISE, MOI. JE NE TIRE PAS.

47

PLUS LOIN, UN NURISTANI
NOUS VEND SON FROMAGE
DANS UN FILET.
UNE PÂTE CUITE.

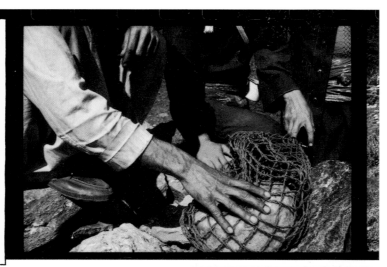

C'EST MARRANT DE VOIR
CÔTE À CÔTE UN TYPE DU
NURISTAN ET UN TYPE DU
BADAKHSHAN. ILS SONT
VRAIMENT DIFFÉRENTS.

QUI C'EST ?

DES GENS DU NORD QUI FUIENT LES COMBATS.

ILS VONT SE RÉFUGIER
AU PAKISTAN.

ILS NE SONT PAS ARRIVÉS,
LES PAUVRES.

DEVANT NOUS, UN NOUVEAU COL, LE PAPROK. VOICI UN ÂNE QUI NE VEUT PAS Y ALLER. IL FAUT SEPT TYPES POUR L'EN CONVAINCRE. ON LE TIRE, LE POUSSE, LE FRAPPE ET LE PIQUE.

LES ÂNIERS CRIENT.

RRRAC TSSS TSSS
RRRAC TSSS TSSS

YEH ! YEH !

ÇA COMMENCE À GRIMPER DUR.
À NOUVEAU, LES COUTURES DE MES GODASSES, USÉES PAR LES PIERRES, SE DÉFONT.
JE LES MAUDIS.

IL Y A DES PASSAGES TRÈS ÉTROITS ET ESCARPÉS.
PERSONNE NE DÉVISSE.

49

QUAND ON AVANCE, IL FAUT AVOIR L'ŒIL RIVÉ SUR SES PIEDS. DÈS QU'ON LÈVE LA TÊTE, ON TRÉBUCHE. C'EST EXTÉNUANT.

ON VOIT, À MESURE QU'ON GRIMPE OU QU'ON CHANGE DE VERSANT, LA VÉGÉTATION SE MODIFIER, SE RARÉFIER.

À MI-HAUTEUR, PAUSE. UN MOUTON ACHETÉ À BARG-E-MATAL FOURNIRA LE KEBAB.

LES MOUDJ' ME DEMANDENT MON COUTEAU DE POCHE ET ME LE RENDENT ÉBRÉCHÉ. J'Y TENAIS, À CE COUTEAU.

ON VA DORMIR ICI. JE RECOUDS À NOUVEAU MES CHAUSSURES. L'UN DE NOUS (JE NE LE VOIS PAS D'OÙ JE SUIS) A DÉPLOYÉ SES AFFAIRES ET SUSCITE LA CURIOSITÉ DES MOUDJ'.

À PEINE A-T-ON OUVERT UN SAC QU'IL Y A TOUT DE SUITE DIX OU DOUZE MOUDJ' À L'INTÉRIEUR.

À L'HEURE DE SE COUCHER, COMME TOUS LES SOIRS, ILS NOUS ASSURENT DE LEUR DISCRÉTION LE LENDEMAIN MATIN. "ON NE VA PAS VOUS RÉVEILLER."

À QUATRE HEURES, L'UN D'EUX S'ÉPOUMONE POUR APPELER À LA PRIÈRE.

QUINZE M'ENJAMBENT POUR LE REJOINDRE.

UN AUTRE, QUI HARNACHE SON CHEVAL, LAISSE TOMBER SA SANGLE SUR MON VISAGE ET UNE PARTIE DE SON CHARGEMENT SUR MES PIEDS.

LE COL DU PAPROK EST AU
CŒUR DU NURISTAN.
LES RUSSES NE S'AVENTURENT
PAS PAR LÀ.
ON PEUT LE PASSER DE JOUR
SANS CRAINTE D'ÊTRE
BOMBARDÉ.

JE N'AI PAS ENCORE PARLÉ D'UN GRAND
MÉDECIN HOLLANDAIS QUI S'APPELLE
RONALD, ALIAS NURUDIN. UN GÉANT.
JE N'EN AI PAS PARLÉ PARCE QU'ON SE
PARLE PEU, LUI ET MOI.

SA TAILLE INTRIGUE LES MOUDJ'.
ILS VEULENT SAVOIR S'IL EST AUSSI FORT
QUE GRAND. TOUS LES SOIRS, NAJMUDIN
LE SOLLICITE POUR UN BRAS DE FER.

TOUS LES SOIRS, RONALD PERD,
PARCE QUE NUL N'EST PLUS FORT QUE
NAJMUDIN.

MAIS MÊME SI NAJMUDIN ÉTAIT UNE CHIFFE MOLLE, RONALD AURAIT TOUT INTÉRÊT À LE LAISSER GAGNER. ON N'HUMILIE PAS UN MOUDJ'
SUR LE CHAPITRE DE LA FORCE PHYSIQUE. QUELQUES OCCIDENTAUX ONT FINI AU FOND D'UN RAVIN POUR L'AVOIR IGNORÉ.
JE PHOTOGRAPHIE LE GRAND RONALD AU FRANCHISSEMENT DU COL, DRAPÉ DANS SON PATOLI.

LA LUMIÈRE EST TRÈS FRANCHE AUJOURD'HUI, L'AIR PUR COMME JAMAIS. L'ÉPUISEMENT ET LES CIRCONSTANCES DE LA GUERRE NE VIENNENT PAS À BOUT D'UN SENTIMENT DE JOIE INTENSE.

IL FAUT DIRE QUE CE SOLEIL, CES MONTAGNES, JOHN, SAC À DOS, QUI MARCHE D'UN PAS DE RANDONNEUR, ÇA RESSEMBLE À S'Y MÉPRENDRE À LA PAIX.

ON PASSE UN TORRENT. NAJMUDIN, RÉGLÉ COMME UN MÉTRONOME, FAIT TRAVERSER LES ÂNES.

RRRAC TSTSS

AU-DELÀ, LES MOUDJ' S'ALIGNENT POUR LA PAYE.

JULIETTE Y PROCÈDE COMME À UNE REVUE DE DÉTAIL. LES BILLETS AFGHANS, LES AFGHANIS, CHANGENT DE MAIN.

ENSUITE, ON SE DIRIGE VERS UN GROS BOURG QUI S'APPELLE PORUNS.

TU L'AS VU, CE VIEUX QU'ON VIENT DE CROISER, AVEC LE GOSSE DANS LE DOS ?

OUI. JE L'AI PHOTOGRAPHIÉ.

TYPIQUE DES PAYS EN GUERRE.

LA GÉNÉRATION DES PÈRES PART SE BATTRE ET IL NE RESTE PLUS QUE LES GRANDS-PÈRES ET LES FEMMES POUR S'OCCUPER DES PETITS. COMME LES FEMMES SORTENT RAREMENT DE CHEZ ELLES OU DU VILLAGE, CE SONT LES VIEUX QUI LES PROMÈNENT ET LES FONT VOYAGER.

AU FAIT, TU SAIS COMMENT ON LES APPELLE, LES VIEUX ?

NON.

LES BABAS. LES BARBES BLANCHES.

AH OUI, SI, JE LE SAVAIS ! "DEWANA BABA".

C'EST DRÔLE, D'AILLEURS. IL ME SEMBLE QUE LE TERME QUI DÉSIGNE LES VIEUX MESSIEURS EN AFGHAN, C'EST CELUI QUI DÉSIGNE LES VIEILLES DAMES EN RUSSE. "LES BABAS."

ÇA DOIT ÊTRE ÇA, L'ORIGINE DU CONFLIT.

DÈS L'ENTRÉE DE PORUNS,
NOUS SOMMES ACCUEILLIS PAR
LES HABITANTS. UNE VIEILLE
FEMME EST MALADE, QU'ILS
NOUS DEMANDENT D'OPÉRER.
ON GRIMPE SUR UNE TERRASSE.

ON ALLONGE CETTE DAME.
LE DIAGNOSTIC EST VITE ÉTABLI.
UN CANCER BOURSOUFLE
SON PIED GAUCHE.

D'UN GRABAT, L'ÉQUIPE FAIT UNE
TABLE D'OPÉRATION.
RÉGIS L'ANESTHÉSIE, PUIS,
SOUS L'ŒIL DE SES ENFANTS,
DOUCEMENT, ATTENTIVEMENT,
ELLE EST OPÉRÉE.

JUSQU'ICI, JE N'AI ASSISTÉ QU'À DES CONSULTATIONS. C'EST LA PREMIÈRE INTERVENTION CHIRURGICALE DU VOYAGE. JE SUIS FRAPPÉ PAR LE SÉRIEUX ET L'ABSORPTION DE CHACUN DANS SA TÂCHE. DES TYPES COMME RÉGIS ET ROBERT, QUI PAR AILLEURS FORMENT UN NUMÉRO DE DUETTISTES TOUT CE QU'IL Y A DE RIGOLO, PRENNENT ICI UNE CARRURE, UNE DIMENSION HORS DU COMMUN. ILS M'EN IMPOSENT.

LA VIEILLE FEMME EST OBSERVÉE QUELQUES HEURES. SA FAMILLE REÇOIT DES MÉDICAMENTS ET DES INSTRUCTIONS SUR SON TRAITEMENT.

SYLVIE, ELLE A UNE CHANCE, CETTE VIEILLE DAME ?

NON, AUCUNE.

TU SAIS, ON DIT PAR CYNISME QUE LES PATIENTS DES CHIRURGIENS MEURENT GUÉRIS. MOURIR GUÉRI, ÉVIDEMMENT, ÇA N'INTÉRESSE PERSONNE. MAIS MOURIR SOIGNÉ, C'EST AUTRE CHOSE.

IL ARRIVE QUE LES GENS MEURENT ENTRE NOS MAINS, PENDANT L'OPÉRATION, ET QU'ON NE PUISSE RIEN FAIRE. EH BIEN, LA FAMILLE NOUS REMERCIE QUAND MÊME.

ILS NOUS REMERCIENT EN DISANT : "IL ÉTAIT MALADE, OU IL ÉTAIT BLESSÉ, ET VOUS L'AVEZ SOIGNÉ, VOUS L'AVEZ PRÉPARÉ POUR RENCONTRER ALLAH. MERCI."

POUR NOUS, QUI NE L'AVONS PAS SAUVÉ, C'EST UNE MINCE CONSOLATION. MAIS POUR EUX, C'EST TRÈS IMPORTANT. IL EST MORT SOIGNÉ.

ET TU SAIS, QUAND TU RENDS À UNE MÈRE SON ENFANT MORT, ÇA M'EST ARRIVÉ, ET QU'ELLE, EN ÉCHANGE, TE GLISSE DANS LA MAIN UN MOUCHOIR PLIÉ OÙ ELLE A MIS QUELQUES NOIX...

...ET QU'ELLE TE DIT : "MERCI, GRÂCE À VOUS, IL EST PRÊT POUR ALLER VOIR ALLAH.".

T'ES BOULEVERSÉE.

AH OUI.

MOI, SOUVENT, LES GENS QU'ON SOIGNE ME DISENT, L'AIR TOUT TRISTE : "QUEL DOMMAGE QUE TU NE SOIS PAS MUSULMANE ! ON VA ÊTRE DANS DES PARADIS DIFFÉRENTS."

AU SORTIR DE PORUNS, LE BABA DE TOUT À L'HEURE A RAJEUNI. IL A MAINTENANT DOUZE OU TREIZE ANS MAIS PORTE TOUJOURS LE MÊME BÉBÉ SUR LE DOS.

ENCORE UN COL, LE SIM. SOUS UN VIEUX ROCHER À LA BOUCHE OUVERTE, ON FAIT LA PAUSE.

T'AS PAS D'AMPOULES, TOI, AHMADJAN ?

NON. ÇA SUFFIT DE MES GODASSES QUI SE DÉCOUSENT.

BEN FILE-MOI TES GODASSES ET JE TE FILE MES AMPOULES.

ÇA ME RAPPELLE UN TRUC DU SERVICE MILITAIRE.

DANS LE... COMMENT ÇA S'APPELLE ? LE PETIT LIVRET DU SOLDAT, LÀ,... QU'ON TE DISTRIBUE ...

LE MANUEL.

C'EST ÇA, LE MANUEL DU SOLDAT.

DANS LE MANUEL DU SOLDAT, JE ME SOUVIENS QU'IL Y AVAIT LA QUESTION :" DE QUOI SONT LES PIEDS DU FANTASSIN ?"

ET LA RÉPONSE C'ÉTAIT...

"ILS SONT L'OBJET DE SOINS CONSTANTS."

HAHAHA !

C'EST BEAU, ÇA.

ENSUITE, ON S'ACCORDE UNE FAVEUR. LA TOURNÉE HABITUELLE DE THÉ EST REMPLACÉE PAR UNE RASADE DE SOUPE EN SACHET AUX CROÛTONS.

UN PEU PLUS HAUT, DANS UN VILLAGE EN RUINES, ON CROISE UN AUTRE BABA. IL PORTE DES LUNETTES DE PILOTE D'HÉLICOPTÈRE SOVIÉTIQUE. PORTRAIT.

IL NE TE RAPPELLE PERSONNE, LE BABA ?

SI, MAIS JE NE VOIS PAS QUI.

POLNAREFF.

HAHA ! OUI ! IL A LES LUNETTES DE POLNAREFF !

♪ C'EST UNE POUPÉE... ♪

♪ QUI FAIT NON NON NOOON NON ... ♪

AU DÉBUT, JE REMPLISSAIS CONSCIENCIEUSEMENT MA GOURDE À CHAQUE ÉTAPE ET JE LA TRIMBALAIS PLEINE. ON TROUVE TELLEMENT D'EAU COURANTE PARTOUT QUE J'AI LAISSÉ TOMBER. SOUVENT, JE BOIS À MÊME LA RIVIÈRE. C'EST DE L'EAU TRÈS PURE.

PUISQUE JE PARLE DE BOIRE, PARLONS DE PISSER. EN AFGHA-NISTAN, PAS QUESTION DE PISSER DEBOUT. CE SONT LES ANIMAUX QUI PISSENT DEBOUT ET QUI S'ÉCLABOUSSENT LES PATTES. ON N'EST PAS DES ANIMAUX, DONC ON S'ACCROUPIT. CELUI QUI PISSE DEBOUT, DANS LE MEILLEUR DES CAS ON SE FICHE DE LUI, AU PIRE ON LE CONSIDÈRE COMME UN MOINS QUE RIEN. EN JEANS, BIEN ENTENDU, CE SERAIT IMPOSSIBLE, MAIS EN TENUE AFGHANE, AVEC LES PANTALONS TRÈS AMPLES, ÇA VA. ON S'ACCROUPIT, REMONTE ET ÉCARTE LE PANTALON ET AINSI, ON NE SE PISSE PAS DESSUS.

LE CACA, LUI, EST L'OBJET D'UN AUTRE INTERDIT : ON NE DOIT À AUCUN PRIX SE TORCHER DE LA MAIN DROITE. LA MAIN DROITE EST RÉSERVÉE À LA NOURRITURE. JE DOIS DIRE QUE PERSONNELLEMENT, JE NE RÉUSSIS PAS À ME TORCHER DE LA MAIN GAUCHE. DONC, JE TRICHE. PAS DE PAPIER CUL OU TRÈS PEU ET SI ON S'EN SERT, ON DOIT L'ENTERRER. EN TEMPS DE GUERRE, LES SOVIETS QUI TROUVENT DU PAPIER CUL SAVENT QU'IL Y A DES OCCIDENTAUX DANS LE SECTEUR. DU COUP, IL Y A UN TRUC ÉTONNANT À BASE DE CAILLOUX RONDS QUI NE MARCHE PAS MAL. ET PUIS L'IDÉAL, JE L'AI DIT, C'EST L'EAU.

À NOUVEAU, J'ASSISTE À L'AUBE. POUR RATTRAPER LE TEMPS DES SOINS À PORUNS, ON A MARCHÉ UNE BONNE PARTIE DE LA NUIT. ON EST TELLEMENT VANNÉS À LA PAUSE QUE MÊME LES CHEVAUX S'ALLONGENT.

LA NUIT SUIVANTE, ON COUCHE SUR LA PLACE D'UN VILLAGE, KANTIWA.

JE DOIS DIRE QUE CE QUI REND MON TRAJET D'AUTANT PLUS HARASSANT, C'EST QUE JE PORTE EN PERMANENCE MA BESACE EN BANDOULIÈRE, AVEC DEDANS MES QUATRE APPAREILS PHOTO ET UNE PARTIE DE MES FILMS. MAIS JE PRÉFÈRE. J'AURAIS TROP PEUR, SI JE LA CONFIAIS À UN ÂNE, QU'ELLE DISPARAISSE AVEC LUI AU FOND D'UN RAVIN. QUAND JE DORS, J'AI TOUJOURS CETTE BESACE AUPRÈS DE MA TÊTE.

AU MATIN, ENCORE COUCHÉ ET VASEUX, JE REGARDE ENTRE MES CILS LE BRANLE-BAS HABITUEL. DE GRANDS MOUDJ' DISCUTENT À TROIS PAS DE MOI.

IL FAUDRAIT FAIRE UNE PHOTO, MAIS JE ME SENS VIDE.

JE SORS MOLLEMENT DE LA BESACE LE PREMIER APPAREIL QUI VIENT.

JE CADRE À PEINE.

VOILÀ. ON VERRA.

CLIC

UNE FOIS RÉVEILLÉ, JE DÉAMBULE
AU MILIEU DE LA CARAVANE
QUI S'ÉBROUE.
JE SUIS HEUREUX DE
SURPRENDRE CE GESTE, UN
GESTE D'ICI QUE J'AIME BIEN.
IL EST MUET ET SIGNIFIE :
"QU'EST-CE QUE TU VEUX ?"
IL POURRAIT ÊTRE VAGUEMENT
ITALIEN, J'AI UNE GRAND -
MÈRE ITALIENNE.

MES RÉTICENCES À CHARGER
MA BESACE SUR UN ÂNE SONT
VÉRIFIÉES DANS LA JOURNÉE
PAR PLUSIEURS CHUTES.
L'UNE D'ELLES EST EMPÊCHÉE
IN EXTREMIS PAR LES ÂNIERS.
SI CET ÂNE ÉTAIT TOMBÉ, IL
SERAIT TOMBÉ LÀ, EN-DESSOUS.

AU CAMP DU SOIR, JULIETTE ME POINTE SUR UNE CARTE LE CHEMIN PARCOURU.

TU VOIS, ON A PASSÉ LA FRONTIÈRE ICI.

ENSUITE, LE DEWANA BABA.

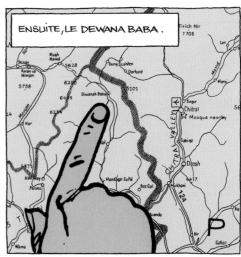

ET PUIS ON EST DESCENDU PAR LÀ, TAC TAC TAC, BARG-E-MATAL, PORUNS, KANTIWA.

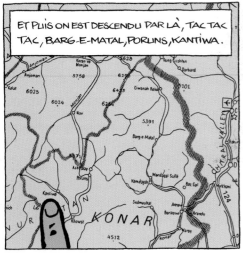

MAINTENANT, ON EST À PEU PRÈS ICI. DEMAIN, ON PASSE LE POJOL, AUTREMENT DIT, ON REMONTE VERS LE NORD.

LE POJOL, C'EST ENCORE UN COL ?

OUI. ET TU VAS VOIR, C'EST UN VRAI, CELUI-LÀ.

PLUS TARD.

TU AS CINQ OU SIX PARAMÈTRES QUE TU DOIS APPRENDRE À COMBINER : LE DIAPHRAGME, LE TEMPS DE PAUSE, LA FOCALE, LA SENSIBILITÉ DU FILM,... ET PUIS LA MANIPULATION DE L'APPAREIL, QUOI.

MOI, JE DIS QUE C'EST IMPORTANT D'ÊTRE UN BON TECHNICIEN, DE PASSER DU TEMPS À APPRENDRE CETTE TECHNIQUE. MAIS PAS CENT SEPT ANS, HEIN ? L'APPRENTISSAGE VA TRÈS VITE. SI TU DÉCIDES DE GÂCHER UNE DIZAINE DE FILMS EN TROIS JOURS, METTONS... ENFIN NON, UN PEU PLUS, DISONS TROIS SEMAINES, TU CONNAIS TOUT ÇA SUR LE BOUT DES DOIGTS.

ET TU LES DÉVELOPPES, TES PHOTOS ?

AH OUI, J'AI APPRIS, OUI. ÇA FAIT VRAIMENT PARTIE DU MÉTIER. CELA DIT, TU AS D'EXCEL- LENTS PHOTOGRAPHES QUI NE TIRENT JAMAIS LEURS PHOTOS, HEIN ? TU EN AS MÊME DE TRÈS BONS QUI CONNAISSENT QUE DALLE EN TECHNIQUE.

IL N'Y A PAS DE PHOTOGRAPHE-TYPE. L'ESSENTIEL, POUR FAIRE TECHNIQUEMENT DE BONNES PHOTOS, C'EST DE MANIPULER L'APPAREIL SANS Y PENSER.

TU SAIS QUE SI TU AS, PAR EXEMPLE, UN COUPLE 11 DE DIAPHRAGME POUR UNE VITESSE À 1/60E DE SECONDE, SI TU DÉCIDES DE METTRE 5-6 AU DIAPHRAGME POUR AVOIR UNE PROFONDEUR DE CHAMP PLUS FAIBLE, TU DOIS OUVRIR AUTOMATIQUEMENT LA VITESSE DE DEUX CRANS.

MH.

ÇA DEVIENT UN RÉFLEXE.

MAIS BIEN SÛR, CE N'EST PAS PARCE QUE TU SAIS FAIRE TECHNIQUEMENT UNE BONNE PHOTO QUE TU FERAS DE BONNES PHOTOS. LES VRAIES BONNES PHOTOS, IL FAUT S'ARRACHER LES YEUX POUR LES FAIRE.

MOI, JE VEUX METTRE TOUTE MON ÉNERGIE À AMÉLIORER MA PHOTO. JE VEUX FAIRE DE BONNES PHOTOS.

ET C'EST QUOI, UNE BONNE PHOTO ?

JE NE SAIS PAS.

IL FAUT CHERCHER, CHERCHER, TOUT LE TEMPS, TOUT LE TEMPS.

ET PAS FORCÉMENT DANS LES ENDROITS GUERRIERS OU SPECTACULAIRES.

J'ESPÈRE RAMENER DE BONNES PHOTOS D'AFGHANISTAN, MAIS QUAND J'IRAI TROUVER MA MÈRE À BLONVILLE, OU TOI À SAINT-ÉMILION QUAND TU FERAS TON PINARD, JE VEUX EN FAIRE DE TOUT AUSSI BONNES. MÊME MEILLEURES, SI JE PEUX.

UNE AMÉLIORATION DES PHOTOS PASSE NÉCESSAIREMENT PAR UNE AMÉLIORATION DES RELATIONS AVEC LES GENS.

CE QUE TU ES EN TRAIN DE DIRE, EN FAIT, C'EST QUE POUR FAIRE DE BONNES PHOTOS, IL FAUT BIEN VIEILLIR.

EXACTEMENT.

EH BIEN EXCUSE-MOI, MON VIEUX, MAIS LE PROCESSUS QUE TU DÉCRIS LÀ, C'EST CELUI DE LA MATURATION, C'EST LE VIN.

ALORS MOI, JE DIS QU'IL FAUT FAIRE DU VIN. PARCE QUE LE VIN, C'EST TOUT CE QUE TU VIENS DE RACONTER, MAIS EN PLUS, ÇA SE BOIT ET C'EST BON.

HAHA !

LE LENDEMAIN, JULIETTE SE FAIT BELLE POUR PASSER LE POJOL.

CHAQUE FOIS QU'ELLE SE BROSSE LES DENTS, ELLE TITILLE MA MAUVAISE CONSCIENCE. JE N'AI PAS BROSSÉ LES MIENNES DEPUIS PESHAWAR, JE ME CONTENTE DE ME RINCER LA BOUCHE DANS LES COURS D'EAU. AVEC TOUS LES FRUITS SECS QU'ON S'ENVOIE, JE DEVRAIS, POURTANT.

IL EST EFFECTIVEMENT GRATINÉ, LE POJOL. HEUREUSEMENT, C'EST UN COL QU'ON PEUT PASSER DE JOUR, PARCE QU'ON EST ENCORE AU NURISTAN. L'AIR EST RARE, ÇA SERRE LES TEMPES. LES BÊTES PEINENT SOUS LA CHARGE.

CE CHEVAL MARQUE DE LONGS ARRÊTS.
IL N'EN PEUT PLUS, IL A LES YEUX DE
QUELQU'UN QUI DIT : "ÇA SUFFIT."

LE MOUDJ' À LA CON, CELUI QUE RÉGIS ET
MOI ON N'AIME PAS, ARRIVE À SA HAUTEUR,
LUI APPLIE LA KALACHNIKOV AU SOMMET DU
CRÂNE ET LÂCHE UNE RAFALE ENTRE SES
DEUX OREILLES.

LE PAUVRE CHEVAL SE CABRE ET COURT
ÉPERDUMENT SUR CINQUANTE MÈTRES
AVANT DE S'ARRÊTER À NOUVEAU, TOUT
SUFFOQUANT. ET LE MOUDJ' RECOMMENCE,
JUSQU'EN HAUT.

IL N'EST PAS LE SEUL À FAIRE ÇA.
ON M'A PARLÉ DE CETTE PRA-
TIQUE. ELLE EST DÉGUEULASSE
À VOIR. D'UN AUTRE CÔTÉ,
MES EFFAROUCHEMENTS
D'OCCIDENTAL SONT TRÈS
RELATIFS DANS UN PAYS OÙ
LES ENFANTS SAUTENT SUR
DES MINES ET RAMASSENT
DES POUPÉES PIÉGÉES.

LE SOMMET.
JE SAIS QUE JE ME RÉPÈTE,
MAIS CE NAJMUDIN EST
INCROYABLE. ON FAIT UNE
ASCENSION, IL EN FAIT DIX.
IL PART RECONNAÎTRE LE COL,
PUIS REDESCEND SURVEILLER
LA PROGRESSION DE LA CARA-
VANE, PUIS REMONTE, PUIS
REDESCEND, SANS ARRÊT.
IL EST PARTOUT À LA FOIS.

EN CONTREBAS, ON PREND UN PEU DE REPOS AU BORD D'UN PETIT
LAC. PAS LONGTEMPS, PARCE QU'IL FAIT FROID ET QU'ON DOIT
REDESCENDRE AVANT LA NUIT. DES NUAGES PASSENT DEDANS.
JE SUIS ASSIS À CÔTÉ DE MAHMAD.

COMBIEN TU FAIS DE PRIÈRES PAR JOUR EN CE MOMENT, MAHMAD ?

EN CE MOMENT, JE N'EN FAIS QUE DEUX PARCE QUE JE SUIS VRAIMENT FATIGUÉ. UNE LE MATIN, UNE LE SOIR. C'EST LE MINIMUM, MAIS ÇA VA, ON A LE DROIT.

ET EN TEMPS NORMAL ?

BEN NORMALEMENT, TU AS CINQ PRIÈRES PAR JOUR, MAIS SI TU ES MALADE OU EN VOYAGE, TU N'ES PAS OBLIGÉ DE FAIRE LES CINQ. IL Y A DES DÉROGATIONS. SI JE PEUX, TOUT DE MÊME, J'EN FAIS TROIS.

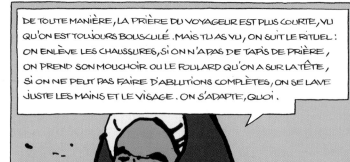

DE TOUTE MANIÈRE, LA PRIÈRE DU VOYAGEUR EST PLUS COURTE, VU QU'ON EST TOUJOURS BOUSCULÉ. MAIS TU AS VU, ON SUIT LE RITUEL : ON ENLÈVE LES CHAUSSURES, SI ON N'A PAS DE TAPIS DE PRIÈRE, ON PREND SON MOUCHOIR OU LE FOULARD QU'ON A SUR LA TÊTE, SI ON NE PEUT PAS FAIRE D'ABLUTIONS COMPLÈTES, ON SE LAVE JUSTE LES MAINS ET LE VISAGE. ON S'ADAPTE, QUOI.

ET TU TE TOURNES VRAIMENT VERS LA MECQUE ?

AH, TOUJOURS. DANS UNE MOSQUÉE, C'EST FACILE PARCE QU'ELLES SONT ORIENTÉES DANS LA BONNE DIRECTION. EN PLEINE CAMPAGNE, C'EST PLUS DIFFICILE DE SE REPÉRER, ALORS DES FOIS, LES GENS NE SONT PAS D'ACCORD ENTRE EUX POUR DÉCIDER VERS OÙ SE TOURNER.

TU SAIS COMMENT IL EST, LE PARADIS DES MUSULMANS ?

PAS BIEN, NON.

JE PEUX TE LE DÉCRIRE, SI TU VEUX.

PLUS TARD.

MAHMAD M'A RACONTÉ LE PARADIS.

AH OUI, À MOI AUSSI, PLUSIEURS FOIS. TU AS VU, C'EST PRÉCIS, HEIN ?

C'EST MARRANT, PARCE QUE MAHMAD, IL EST TRÈS CROYANT, MAIS COMME IL A VÉCU EN FRANCE, IL A AUSSI DU RECUL, ON PEUT SE PERMETTRE DES BLAGUES UN PEU OSÉES, ÇA LE FAIT RIRE. S'IL ÉTAIT CURÉ, CE SERAIT LE GENRE À BIEN RIGOLER ET PUIS À FAIRE VITE SON SIGNE DE CROIX DANS UN COIN.

OUI, C'EST ÇA.

MAHMAD, IL EST TRÈS AIMÉ À MSF. C'EST COURAGEUX, CE QU'IL FAIT, PARCE QUE CE N'EST PAS UN GUERRIER, IL NE FERAIT PAS DE MAL À UNE MOUCHE, MAIS IL VEUT QUAND MÊME FAIRE SA JIHAD. ALORS IL A TROUVÉ CE TRUC D'ÊTRE INTERPRÈTE POUR NOUS.

IL A LA TERREUR DES HÉLICOS. JE NE SAIS PAS S'IL T'A FAIT LE COUP, IL LE FAIT À TOUT LE MONDE ...

SI. LES ONGLES.

OUI, "RENTREZ LES ONGLES." MOI, JE LUI AI DIT : "MAHMAD, S'IL Y A UN HÉLICO QUI SE POINTE, IL NE VERRA PAS MES ONGLES PARCE QUE JE LES RONGE EN MOINS DE DEUX."

ET TU SAIS CE ...

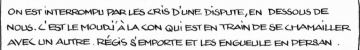

ON EST INTERROMPU PAR LES CRIS D'UNE DISPUTE, EN DESSOUS DE NOUS. C'EST LE MOUDJ' À LA CON QUI EST EN TRAIN DE SE CHAMAILLER AVEC UN AUTRE. RÉGIS S'EMPORTE ET LES ENGUEULE EN PERSAN.

BRATATA

ON RESTE FIGÉ. LE MOUDJ' VIENT DE LÂCHER UNE RAFALE DE KALACH ENTRE NOUS DEUX. LES TROIS BALLES ONT SIFFLÉ, LÀ, ZZZZZZZ ...

LE SANG DE RÉGIS NE FAIT QU'UN TOUR. C'EST UN RUGBYMAN, RÉGIS. ET UN GASCON. IL DÉVALE LA PENTE VERS LE MOUDJ'.

MOI, JE ME DIS : " IL VA SE FAIRE DESCENDRE, IL FAUT L'ARRÊTER." ET JE LE SUIS.

L'ERREUR, EN MONTAGNE, C'EST DE VOULOIR COURIR, SOUTENIR UN COPAIN DANS UNE RIXE ET PRENDRE DES PHOTOS EN MÊME TEMPS.

SI ON FAIT ÇA, ON SE VAUTRE.

HEUREUSEMENT, QUAND JE ME RELÈVE, C'EST POUR CONSTATER QUE D'AUTRES MOUDJ' SONT ARRIVÉS ET QU'ILS ONT PRIS LE FUSIL DU MOUDJ' À LA CON.

NAJMUDIN EST APPELÉ, IL ÉCOUTE LES UNS ET LES AUTRES ET IL TRANCHE : LE MOUDJ' À LA CON SERA DÉSARMÉ POUR LE RESTE DU VOYAGE.

ON SE SENT MIEUX, NON ?

OUI, MAIS MÉFIANCE. C'EST UNE GROSSE HUMILIA-TION POUR CE GARS D'ÊTRE PRIVÉ DE FUSIL. IL POURRAIT BIEN CHERCHER À SE VENGER.

LE POJOL EST PASSÉ.
ON SE DIRIGE MAINTENANT VERS CE QUE LES COPAINS APPELLENT PLAISAMMENT LES MONTAGNES RUSSES, CELLES QUE LES RUSSES SURVOLENT ET BOMBARDENT.
POUR L'INSTANT, EN FAIT DE RUSSE, VOICI UN ÉPOUVANTAIL DANS UN CHAMP DE BLÉ.

DEVANT MOI MARCHE UN PORTEUR DE ROQUETTES ANTICHARS.
UN HOMME PEUT EN PORTER UN BOUQUET D'UNE DEMI-DOUZAINE.
LES OBUS DE MISSILE, PLUS LOURDS, SONT SUR LES ÂNES.
CEPENDANT, POUR RENTABILISER LE VOYAGE, CERTAINS MOUDJ'EN PORTENT UN, DANS UN SAC, AVEC DES CORDES.

AINSI VA LA VIE D'UN HOMME-OBUS OU D'UN HOMME-ROQUETTES.
IL VA CHERCHER SON FARDEAU AU PAKISTAN.
IL LE TRIMBALLE PENDANT TROIS SEMAINES PAR MONTS ET PAR VAUX.
IL LE LIVRE.
IL REPART EN CHERCHER UN AUTRE.

J'AI APPRIS À M'OCCUPER DE MON CHEVAL. À L'ARRÊT, JE LE COUVRE POUR QU'IL N'AIT PAS FROID. ET PUIS J'ATTENDS UN PEU AVANT DE L'ABREUVER ET DE LE NOURRIR. CE N'EST PAS BON DE NOURRIR UN CHEVAL JUSTE APRÈS L'EFFORT.

ENSUITE, IL REÇOIT SA RATION DE KÂH ET DE JAO, LE FOIN ET L'AVOINE.

IL A MÊME DROIT À UN CÂLIN.

LE PELOTE PAS TROP, IL A PAS L'HABITUDE.

TU VAS LE TUER.

PENDANT QUE LES CHEVAUX MÂCHENT LEUR FOURRAGE, LES HOMMES CHIQUENT LE NASWAR. ILS SORTENT UNE BOÎTE RONDE, FAÇON PILULIER, AVEC UN COUVERCLE QUI FAIT MIROIR DE POCHE.

DANS LA BOÎTE, LE NASWAR : UNE POUDRE, MÉLANGE DE TABAC, DE CHAUX ET D'AUTRES TRUCS.
LA POUDRE EST VERSÉE DANS LE CREUX DE LA MAIN, COUPÉE AVEC LE COUVERCLE ET HOP, ENVOYÉE DANS LA BOUCHE COMME UNE POIGNÉE DE PISTACHES.

ELLE EST STOCKÉE DIX MINUTES EN MOYENNE, SOIT SOUS LA LANGUE, SOIT ENTRE LA LÈVRE ET LA GENCIVE, PUIS CRACHÉE.

QUAND ON CHIQUE DANS UNE MAISON, ON SOULÈVE LE TAPIS, ON MOLARDE LE LONG DU MUR ET ON RABAT LE TAPIS PAR-DESSUS. CONSEIL : NE PAS COUCHER DANS CE COIN-LÀ.

LE NASWAR EST EXTRÊMEMENT CORROSIF. À LA LONGUE, IL RONGE LES GENCIVES ET BEAUCOUP D'HOMMES ONT LA BOUCHE DÉVASTÉE.

UN INCIDENT : SUR UN PONT RUDIMENTAIRE, À CAUSE D'UNE PIERRE DÉPLACÉE, UN ÂNE S'EST ENFONCÉ LA PATTE DANS UN TROU. NAJMUDIN VIENT À LA RESCOUSSE.

IL SE PLACE DERRIÈRE L'ÂNE, LE SAISIT PAR LA QUEUE, LE SOULÈVE TOUT ENTIER, CHARGEMENT COMPRIS, ET LE REMET SUR PATTES.
UNE CLAQUE POUR QU'IL REPARTE ET C'EST RÉGLÉ.

JE SUIS LOIN ET LA LUMIÈRE EST CHICHE. J'ESPÈRE QUE CE GESTE PASSERA SUR LES PHOTOS, SINON PERSONNE NE VOUDRA ME CROIRE.
NAJMUDIN REPLACE LA PIERRE ET LA CARAVANE REPART.

LES ÂNES N'AIMENT PAS LES PONTS. MOI, ÇA NE M'IMPRESSIONNE PAS TROP. CE NE SONT PAS DES PONTS VERTIGINEUX. IL NE FAUT PAS TOMBER, BIEN SÛR, MAIS ÇA VA.

À LA PAUSE SUIVANTE, JOHN NOUS RÉGALE D'UNE DANSE DES SEPT VOILES.

QUELQUES MOUDJ' FONT UN CONCOURS DE TIR RÉCRÉATIF. PASSE UN OISEAU DANS LE CIEL, PAS PLUS GROS QU'UN PIAF. UN DES MOUDJ' L'ALIGNE.

PAN. UN SEUL COUP.

IL ME MET L'OISEAU SOUS LE NEZ POUR QUE JE CONSTATE QUE LA BALLE NE LUI A EMPORTÉ QUE LA TÊTE. LE PETIT CORPS COMESTIBLE EST INTACT.

À NOUVEAU, DES FUYARDS. ON LES APPELLE "RÉFUGIÉS" ALORS QU'ILS SONT LOIN DE LEUR REFUGE. CEUX-CI VIENNENT DE KESHEM, À L'OUEST DU BADAKHSHAN. LE CHEMIN QUI LEUR RESTE À FAIRE, C'EST CELUI QU'ON A FAIT.

LA CARAVANE APPROCHE DU COL KALOTAC.

LE KALOTAC, C'EST COMME LE MÉTRO "LA FOURCHE", À PARIS. TU CONNAIS ?

BIEN SÛR. AUX BATIGNOLLES.

À GAUCHE, TU AS LE PANSHIR, LA VALLÉE DE MASSOUD. À DROITE, TU AS LE BADAKH-SHAN, OÙ ON VA.

ÇA FAIT QUE NOUS, ON VA VERS SAINT-DENIS ET QUE MASSOUD EST DU CÔTÉ D'ASNIÈRES, LÀ-BAS.

JE COMPRENDS.

ON SE POSE PRESQUE TOUT L'APRÈS-MIDI. IL S'AGIT DE REPRENDRE DES FORCES ET DE BIEN S'ENTENDRE SUR LE TRAJET. DE LONGUES PALABRES ONT LIEU.

J'EN PROFITE POUR FAIRE DES PORTRAITS D'ABDUL JABÂR ET DE SES LIEUTENANTS. AU MILIEU DE TOUTES CES BARBES, UNE BOUCLE D'OREILLE DE JULIETTE.

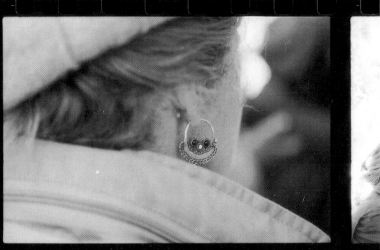

ON ESSAIE DE CHOPER RADIO FRANCE INTERNATIONALE SUR NOS PETITES RADIOS À ONDES COURTES. DES FOIS, ON Y ARRIVE, DES FOIS NON.
CETTE FOIS, NON.

EN FIN D'APRÈS-MIDI, LES MOUDJ' ÉCOUTENT LA BBC EN PERSAN. LA VIE S'ARRÊTE, EN AFGHANISTAN, À L'HEURE DE LA BBC EN PERSAN.

AVANT DE REPARTIR, CEUX QUI LE SOUHAITENT SONT EXAMINÉS.

ALLEZ, EN ROUTE.
ON GRAVIT LE KALOTAC.

PAR MOMENTS, JE PENSE À TINTIN. C'EST VRAIMENT QUELQUE CHOSE, TINTIN.
ON A SOUVENT L'IMPRESSION QU'IL EST PASSÉ PAR OÙ L'ON PASSE.

LE COL EST FRANCHI DE NUIT. ON
S'ARRÊTE À FLANC DE MONTAGNE,
DANS DES RUINES QUI NOUS
ABRITERONT TANT BIEN QUE MAL.
ON SE PELOTONNE CONTRE LES
VIEILLES PIERRES, APRÈS AVOIR
PARTAGÉ UN ŒUF DUR EN DIX.

AU PETIT MATIN, TOUT LE MONDE
EST RAIDE DE FROID COMME LA
CARCASSE DU CHEVAL D'HIER.

IL NE FAUT PAS MOISIR ICI ET RALLIER AU PLUS VITE LE VILLAGE D'ANJOMAN.
ON MARCHE COMME DES DORMEURS TIRÉS DU LIT PAR UN TREMBLEMENT DE
TERRE ET QUI N'ONT EU QUE LE TEMPS DE S'ENROULER DANS UNE COUVERTURE.
ON GUETTE LE CIEL OPAQUE.

VOICI UNE RIVIÈRE, TRÈS LARGE, PAS
PROFONDE, MAIS IMPÉTUEUSE.
LA CARAVANE S'ENGAGE.
ENCORE UN ÂNE EN DIFFICULTÉ.
DES MOUDJ' LE DÉBARRASSENT
DE SON BÂT ET TENTENT DE LE
HISSER SUR UNE PIERRE.

JE PHOTOGRAPHIE BEAUCOUP.
À MESURE QUE JE PHOTOGRAPHIE,
JE SENS QU'UNE BONNE PHOTO
EST À MA PORTÉE. C'EST COMME
SI JE PÊCHAIS ET QUE ÇA MORDE.
JE RETIENS MON SOUFFLE CHAQUE
FOIS QUE J'APPUIE.

SI J'AI BIEN FAIT MON BOULOT, ELLE DEVRAIT ÊTRE LÀ, DANS LES CINQ OU SIX DERNIÈRES.

IL PARAÎT QU'ON A PERDU UN TYPE, CETTE NUIT. IL A DÛ S'ÉGARER SUR LE COL, DANS LE NOIR.

QUI C'EST ?

UN PALEFRENIER.

ET QU'EST-CE QU'ON FAIT ?

RIEN. ON NE PEUT RIEN FAIRE. S'IL EST EN VIE, IL FAUT QU'IL SE DÉBROUILLE POUR NOUS REJOINDRE.

DE BUT EN BLANC, APPARAÎT UN MARCHAND DE GÂTEAUX. IL PORTE UN SAC PLEIN DE GÂTEAUX ET NOUS LES VEND AU POIDS.

IL PART COMME IL EST VENU. NOUS AUSSI.

ON EST CORDIALEMENT REÇU À ANJOMAN. IL Y A EU LA GUERRE ICI. TOUT DE SUITE, UNE CONSULTATION EST OUVERTE POUR LES VILLAGEOIS.

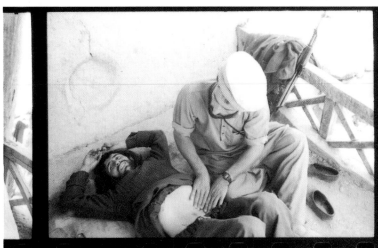

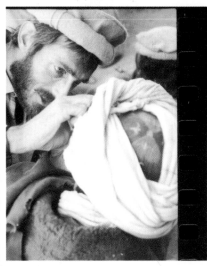

PLUS TARD, DANS LA MAISON COMMUNE, ON DISCUTE. JE N'AI PAS ENCORE DIT QUE JOHN EST UN PÊCHEUR ÉMÉRITE. UN PRÊCHEUR, AUSSI.

QUAND L'AFGHANISTAN AURA CESSÉ D'ÊTRE L'ENFER DE LA GUERRE, IL SERA LE PARADIS DE LA PÊCHE À LA LIGNE.

MOULINET EN MAIN, COMME UN CAMELOT, IL FAIT UNE DÉMONSTRATION.

SOUDAIN, LA PORTE S'OUVRE. MAHMAD SE PRÉCIPITE DANS LES BRAS DE L'ARRIVANT.

C'EST LE TYPE QU'ON CROYAIT PERDU. IL EST FÊTÉ, PRESSÉ DE QUESTIONS. JE PHOTOGRAPHIE SON RÉCIT.
LA VEILLE, IL S'EST LAISSÉ DISTANCER DANS LE NOIR.
SES YEUX EFFARÉS DISENT SON CALVAIRE : LA TERREUR D'ÊTRE PERDU, LA NUIT, DANS LE FROID GLACIAL. LA TERREUR, AU MATIN, DES BOMBARDEMENTS.

IL S'EST CRU MORT. TOUT LE MONDE L'A CRU MORT. DE FAIT, IL A UNE TÊTE DE REVENANT. ON LE RECONSTITUE AVEC DU CHORMAZCHOÏ, DU THÉ AUX NOIX BOUILLANT, BIEN GRAS, ET DU PAIN.

CHORCHOÏ, CHORMAZCHOÏ, J'AI PRIS L'HABITUDE DE CES THÉS AU LAIT SALÉS. AU DÉBUT, JE LES TROUVAIS DÉGUEULASSES ET PUIS J'AI VAINCU MON DÉGOÛT. MAINTENANT, JE NE PEUX PLUS M'EN PASSER. À PEINE LE BOL FINI QU'ON T'EN RESSERT.

ON ÉVOQUE, AU BRIEFING DU LENDEMAIN, LA TRAVERSÉE DÉLICATE QUI NOUS ATTEND : CELLE D'UN GRAND PLATEAU À DÉCOUVERT OÙ, RÉGULIÈRE-MENT, LES CARAVANES SONT MITRAILLÉES.
C'ÉTAIT LE CAS IL Y A DEUX ANS, LORS DU DERNIER PASSAGE DES MSF. UN MOUDJ' EST MORT, QUE RÉGIS CONNAISSAIT BIEN.

LE PLAN DE MARCHE EST AINSI FAIT QUE CE PLATEAU DOIT ÊTRE PASSÉ DE JOUR.
À SON ABORD, NOUS NOUS SCINDERONS EN GROUPES DE DEUX, BIEN ESPACÉS, POUR NE PAS OFFRIR UNE CIBLE TROP HOMOGÈNE.

ON QUITTE ANJOMAN. LA SPLENDEUR DES PAYSAGES EST D'AUTANT PLUS POIGNANTE QU'ON ENTRE DANS DES ZONES DE COMBAT.

VOICI LE PLATEAU. C'EST VRAI QU'IL EST IMMENSE ET NU. NULLE PART OÙ SE PLANQUER. TOUCHONS DU BOIS, LE CIEL AUSSI EST VIDE. LES PETITS GROUPES SE FORMENT ET S'ENGAGENT UN À UN.

RIEN DE FÂCHEUX N'ARRIVE.
ON PASSE. DE L'AUTRE CÔTÉ
NOUS ATTENDENT UNE RIVIÈRE
ET LE COUVERT DE QUELQUES
ARBRES. C'EST LÀ QU'ON A
ENTERRÉ, IL Y A DEUX ANS,
L'HOMME ABATTU.

DES MOUDJ' S'ACCROUPISSENT
ET PRIENT. RÉGIS SE JOINT
À EUX, TOUT LE MONDE SE
RECUEILLE.

À SUIVRE.